Universale Economica Feltrinelli

ALESSANDRO BARICCO
BARNUM

Cronache dal Grande Show

Feltrinelli

© Giangiacomo Feltrinelli Editore Milano
Prima edizione nell'"Universale Economica" maggio 1995
Quarta edizione febbraio 1996

ISBN 88-07-81346-7

Nota dell'autore

Se fai lo scrittore non è che sia molto semplice, oggi, collaborare con un quotidiano. È difficile capire cosa mai dovresti scrivere. Quello che una volta facevano gli scrittori adesso lo fanno egregiamente i giornalisti. E i giornali hanno una loro organizzazione interna collaudata e molto delicata: per cui da qualsiasi parte ficchi il naso l'impressione che hai è quella di disturbare il manovratore. Alla fine ti passa la voglia.

Un pelo prima che mi passasse la voglia, mesi fa, sono andato dal mio direttore, alla "Stampa", e gli ho detto che mi sarebbe piaciuto fare una rubrica, ogni settimana, che si intitolasse *Barnum*. Barnum come quello del circo. Perché tutto quel che vedevo, intorno, mi sembrava un grande spettacolo di clown, domatori e acrobati: e mi piaceva l'idea di provare a raccontarlo, un po' alla volta, così come veniva. Il mio direttore è un signore molto educato e sanamente pragmatico. Con molta cortesia mi ha detto: ad esempio? Ad esempio vorrei raccontare la faccia di Funari, la gente che va ai comizi di Bossi, l'ultimo Puccini dato alla Scala, come canta Tom Waits, la Cappella Sistina ripulita dai giapponesi, una partita di hockey. Tiravo a indovinare, ma insomma il progetto era quello: guardarmi intorno, correndo dietro a tutto quello che mi meravigliava. Il mio direttore è un signore molto educato e sanamente pragmatico: però disse: va bene. Dalla settimana dopo iniziai a scrivere ottanta righe, ogni mercoledì, nelle pagine della Cultura, e sopra c'era scritto *Barnum, lo spettacolo della settimana*. È passato un anno e mezzo, e non ho ancora smesso.

7

Adesso, quegli articoli, li ho raccolti qui, più o meno in ordine cronologico. Alcuni li ho buttati perché mi sembravano francamente bruttini. Gli altri li ho pubblicati così com'erano perché correggere se stessi è una cosa noiosa da pazzi. Di altre spiegazioni non mi pare ci sia bisogno. Di qualche ringraziamento sì.

Devo ad alcuni volonterosi barnumisti la segnalazione di spettacoli che non avrei mai scoperto e che poi mi hanno lasciato secco. Devo a tutte le lettere che mi sono arrivate il piacere di scoprire che non era inutile quello che stavo facendo. Devo a Claudio Sabelli Fioretti e Paolo Mereghetti l'avermi proposto un reportage in giro per l'Italia, nell'estate del '93, per il supplemento *Sette* del "Corriere della Sera": è lì che mi è venuto in mente di fare *Barnum*, ed è lì che ho avuto la possibilità di dimostrare che avrei saputo farlo. Devo, infine, un sacco di cose al signore molto educato e sanamente pragmatico che è ancora il mio direttore e che si chiama Ezio Mauro. Ha creduto alla mia idea e mi ha costruito intorno le condizioni per lavorare liberamente e serenamente. Gli sono grato per ciò che mi ha permesso di scrivere e ancora di più per ciò che mi ha permesso di *non* scrivere: ha sempre accolto i miei imbarazzati dinieghi con paziente civiltà. Se adesso posso dire di non aver mai scritto una sola riga da opinionista – io che opinionista non sono – lo devo anche a questa sua pazienza.

A.B.

Torino, aprile 1995

In métro, verso l'America di Kafka

Stazione Ostiense, a Roma. Sembra una stazione di paese, al bar puoi fare la schedina, dal muro ti adocchiano cartelli vecchi di anni, dal banco panini che non ce la fanno più. Fuori fa un freddo cane, è buio, piove pure. L'estate è finita, Ostia è lontana. L'America, invece, è lì. Inizia alle otto e un quarto. L'*America* di Kafka, tradotta in partitura teatrale da Giorgio Barberio Corsetti, e squartata in spettacolo colto, passionale e soprattutto: itinerante. L'unico spettacolo in cui, insieme al biglietto di ingresso, ti danno anche un biglietto del métro. Vado a spiegare.

Il testo nasce dal romanzo mai finito di Kafka. Il titolo originale, più bello, era *Il disperso*. Poi diventato *America*. Barberio Corsetti ne ha fatto un testo teatrale prendendo al volo un suggerimento lasciato in eredità da Benjamin. Non so perché, ma l'ha immaginato come uno spettacolo che deve spaccarsi su scene diverse, di posti diversi. Assistervi dev'essere una processione. Palcoscenici disseminati in giro, come stazioni di una Via Crucis. L'ha fatto a Cividale, a Prato e a Milano. Adesso è riuscito a farlo a Roma. Partendo dalle pensiline tristi dell'Ostiense.

Tutti lì seduti, al binario due, mentre sul marciapiede opposto vanno e vengono gli attori, a raccontare la storia di Karl Rossmann, sedicenne emigrante tedesco che sale su un piroscafo ad Amburgo per andarsi a perdere in America. Dura quasi un'ora poi ci si alza tutti e si va verso il métro. Tutti in processione, saremo un centinaio, c'è anche Nanni Moretti, così, per la cronaca, tutti dietro a un furgone che fa da pifferaio magico, con

9

le porte aperte, dietro, e uno che suona su una tastiera qualcosa che sembra pericolosamente il Nyman di *Lezioni di piano*. Alla fine si sale sul métro, e sentirsi un po' cretini non è difficilissimo. Anche lo sguardo dei passeggeri normali ha qualcosa di benevolmente pietoso. Una sola fermata, comunque, si scende alla Garbatella. Che posto.

Scorie di città. Luci arancioni a illuminare camminamenti da metropoli del Terzo Mondo. L'America di Kafka spunta qua e là con piccole porzioni di teatro, cogliendo a sorpresa la anomala processione che, sempre al seguito del furgone magico, attraversa parcheggi morti e pozze di olio e rifiuti a bagno nella pioggia. Più lo scenario si fa senza speranza più si ingoia il teatro e diventa spettacolo lui stesso. Non sai più di cosa sei spettatore. Nel bel mezzo di un cortilone di non-so-cosa, in mezzo a un mare di cartelli per non-so-cosa, la processione sfila davanti a un impiccato che pende giù da un albero, con tanto di canzone grottesca in sottofondo, sembra Brecht. Una cosa che dovrebbe colpirti. Eppure quello che davvero ti rapisce è vedere che l'albero di fianco a quello dell'impiccato, proprio quello di fianco, l'unico altro albero, in quel gran cortilone, *è una palma*. In quel gran mare di merda di cemento: una palma. Sembra una gran dama dimenticata a terra da una crociera frettolosa. Insomma, si spegne il teatro vero e proprio in quella cornice di grandioso e normale orrore come una candela si spegne in una casa che brucia (bella similitudine, e infatti è Roth).

E sì che è teatro non qualunque, tagliente, spettacolare. Gli attori si muovono con una frenesia di animali braccati, in un'America tradotta in fogli di lamiera, e punteggiata da video accesi come lumini nei cimiteri. Tra tante immagini ne resta in mente soprattutto una: cavi d'acciaio tesi a mezz'aria, ad attraversare un enorme salone, e due barboni abbarbicati ad essi, un po' acrobati, un po' uccelli, enormi, finiti a cercar casa lì, tra i fili di quell'immane telegrafo.

Quanto alla processione, se ne sfila nel cuore dell'Acea, dentro una splendida sala macchine, e poi cola nell'umido, lungo il Tevere, fino al gasometro, grandioso scheletro inutile. È lì che si consuma il finale. Karl

Rossmann trova un impiego al Teatro di Oklahoma. Ha l'aria di un buon impiego. Ma sa di manicomio quello che Barberio Corsetti mette su in quel mozzicone di lungofiume. Attori come marionette impazzite. Benzina che brucia, sullo sfondo, buttando spesso fumo nero nel nero arancio della notte di periferia. Alla fine gli applausi sembrano perfino un po' fuori luogo. Buffi rumori sopravvissuti a un teatro esploso.

Sviatoslav Richter: Guernica al pianoforte

Ha quasi ottant'anni, Sviatoslav Richter. Nato in Ucraina nel 1915. Secondo Piero Rattalino, che sa, è uno dei tre più grandi pianisti di tutti i tempi. Liszt, Busoni e lui. A vederlo, non li dimostra tutti quegli anni. La scena la attraversa senza il passo meravigliosamente stanco dei grandi vecchi. Arriva al pianoforte e saluta il pubblico con gesti totalmente privi di vezzi narcisistici, qualcosa tra il militaresco e la recita di fine anno, in quinta elementare. Un soldatino coi capelli bianchi. Muove la testa in un inchino meccanico e muto, come se rispondesse al riflesso di una molla invisibile, caricata una volta per sempre. Il volto sembra scolpito nella pietra. Non gli cola addosso un'espressione che è una. Pietra. E basta.

Lunedì ha inaugurato il cartellone filarmonico del Teatro Olimpico, a Roma. Teatro orrendo, a voler essere precisi, ma lui li ama, i teatri orrendi, non ho mai capito perché, ma sembra che vada a cercarseli. Davvero. Pubblico delle grandi occasioni, tutti già preventivamente entusiasti, ognuno al sicuro nella certezza di assistere a un grande evento. Comprensibile. Perfino giusto, volendo.

Ha iniziato con Bach. Lo suona senza lussi timbrici, senza spigoli inventivi, senza pretese interpretative particolari. Lo suona senza. Un copista benedettino ipnotizzato dal carisma del testo sacro. Sulle ultime battute della *Fuga Bwv 906*, si smarrisce, salta qualche passaggio, si inventa un modo di arrivare alla fine e ci arriva. Si alza. Applausi. Va dietro le quinte, poi ritorna, si risiede al piano e senza dire niente riattacca la *Fuga* dall'inizio. Come un'equazione che non gli era venuta. Questa volta gli viene. Saluta e se ne va. Applausi, intervallo.

Il vero spettacolo, comunque, doveva ancora arrivare. Spettacolo paradossale, ma emozionante, a modo suo. In programma c'era la *Patetica* di Beethoven. Nonostante qualche zampata leonina, l'impressione è quella di una ripassata un po' incolore, ingarbugliata da tutta una rete di note false, piccoli passaggi a vuoto, minuscole afasie. Sembra un atto di resa alla vecchiaia. E invece è il preludio al gran finale. *Wanderer-Fantasie* di Schubert. Opera non facile, tecnicamente. L'unica opera pianistica che Schubert, pianista non eccelso, scrisse sapendo di scrivere qualcosa che non sarebbe riuscito a suonare. È lì che scatta il miracolo. Richter attacca con un'intensità e una rabbia straordinarie. Una ribellione, si direbbe. Sotto quella violenza esplodono decine di note false, il fraseggio si straccia in singulti di ogni tipo, l'incrocio di sublimi errori genera armonie geniali, spariscono intere frasi, sibilano nell'aria note orfane, piombano nel nulla, accordi completamente smarriti. È il caos. Ma un caos meraviglioso, arroventato da una pressione inesorabile, braccato dalla furia di quel pianista a cui tutto sta sfuggendo e che pure a tutto riesce a dare un assurdo ordine. Richter sfascia l'*Allegro* iniziale, strazia l'*Adagio*, fa a pezzi lo *Scherzo* e trascina il finale come una agonia. Risultato: Schubert scolora, e viene fuori Picasso. Occhi sghembi, nasi vaganti, braccia attaccate chissà dove, case capovolte, lune sotto terra. Urlano, le decine di note saltate, come occhi di personaggi muti e atterriti. Ascolto e penso: sto ascoltando *Guernica*. Miracolo. Chissà cosa avrebbe detto Schubert, lui, il sacerdote della nostalgia, il maestro delle mezze tinte, l'eterno inconsolabile. L'unico grande compositore di sesso femminile della storia della musica.

Insomma: memorabile. Tanto che si sarebbe bevuto tutti gli altri ricordi di questi sette giorni se non fosse che almeno uno, tenace, si è aggrappato alla memoria, e a quella meraviglia sonora ha finito per sopravvivere. Un altro grande, non della musica però. Mi è arrivato addosso a tradimento, dallo schermo della tivù, a un'ora impossibile della notte. Non l'avevo mai visto prima. Adesso l'ho visto: il mitico Belmonte. Gli spagnoli dicono: la corrida moderna l'ha inventata lui. Era una rissa tra un uomo e un animale: lui ne fece un teorema di geometria. Il filmato che lo tramanda dura pochi secondi, infilati tra le pieghe di un film documentario girato, pensa tu, da Marco Ferreri, anni fa. Brevi immagini che scivolano via a quella strana velocità irreale dei film anni venti. Belmonte lavora come se stesse facendo un'autopsia. Cinismo e millimetri, bisturi e sangue. Talmente esatto da far impressione. Il toro si muove su traiettorie che sembrano disegnate da un computer. È geometria. Geometria pura. Qualcosa mi ricorda, da lontano, il Bach di Richter. Di un Richter senza note false.

La sua nota falsa Belmonte la suonò in un giorno qualsiasi del 1962. Aveva passato anni a evitare la morte di pochi millimetri. Quel giorno le andò incontro, infilandosi una pallottola in testa. *Triste, solitario y final*.

D'improvviso a turbare il pacifico rito dello zapping, ti salta addosso una faccia fatta di denti e occhiali e parole, grande come lo schermo, inesorabile.

Funari. Lui.[1]

Ti sta così addosso che un'illusione olfattiva ti porta il profumo della sua acqua di colonia. Potresti azzardare perfino il dentifricio che usa. Aiuto. Un po' più indietro, per favore. Niente. Sempre lì a mordere l'etere, potesse si sporgerebbe fuori, come certi personaggi del Caravaggio, che tracimano fuori dalle cornici per venirti a stanare, fuori dalla finzione, dentro la realtà. Mi arrendo. Giuro che non cambio più canale se solo fa un passo indietro. Magico: lo fa. Per dire: pubblicità. (Collant, detersivo, formaggio svizzero, biscotti, casalinghi, stop.) Si parla di Canino,[2] il generale che se n'è andato, e del ministro Fabbri che l'ha lasciato andare, chi ha ragione? Un giornalista dice la sua, una giornalista pure, Funari rimbalza da una parte all'altra, si intrappa nelle parole, chiede continuamente un bicchier d'acqua, sembra perfino un po' suonato, ma lo fa, non lo è, quando è il momento scatta a piazzare la domandina al vetriolo, o a decollare su qualche illuminante divagazione autobiografica, o a dire: pubblicità. (Minestrone surge-

[1] Ottobre '93. Dopo lungo purgatorio Funari era da poco tornato sugli schermi Fininvest con una trasmissione il cui elegante motto era: "Voglio infilare il dito nel culo del futuro" (o qualcosa del genere).

[2] Il generale Goffredo Canino era il Capo di Stato Maggiore dell'Esercito. Si era appena dimesso, sulla scia di polemiche di cui a nessuno, oggi, frega più niente. Chissà cosa fa adesso.

lato, crema idratante, amaro, cioccolatini, detersivo, supermercato, di nuovo detersivo, maglieria intima, stop.) È il momento del gorgonzola. Grande. Telepromozione, si chiama. Grande forma di formaggio con la consueta brunona decorativa a far da madrina lobotomizzata. Con lo stesso identico tono con cui tuona contro tangentopoli e sciorina gli ultimi agghiaccianti dati sull'evasione fiscale, Funari spalanca le porte del dorato mondo del gorgonzola. Sua nonna ha campato quasi fino a cent'anni e ogni sera se ne faceva un etto abbondante. Lui stesso ha assaggiato ieri sera il gorgonzola quello forte (1,5% di quota di mercato) e gli è piaciuto molto. Si imparano un sacco di cose. Mentre la rabelaisiana forma di gorgonzola smotta sotto i watt dei riflettori, affiora l'inquietante interrogativo: grasso com'è, il gorgonzola vi fa decollare il colesterolo? Risposta: solo se ne mangiate chili. Fine del tempo a disposizione. Compare Ferdinando Imposimato, ex magistrato, ora onorevole pidiessino. Altra domanda inquietante: i magistrati possono sbagliare? Sì, no, qualche volta? Pubblicità. (Salumi, pelati, caramelle, detersivi, la nonnina dell'Ace, dispense sull'aviazione, Magalli e un detersivo, Emilio Fede e un caffè, stop.)

Sgradita sorpresa c'è anche Gervaso, immarcescibile caricatura di se stesso. Strizzato dal papillon d'ordinanza, scolpisce provocazioni un tanto al chilo, ricordandoci continuamente che lui era, è e sarà un anticomunista. Caso mai ce lo fossimo scordati. Imposimato intanto è finito sulla graticola, incalzato da maliziose curiosità su certe sue supposte simpatie mafiose. Funari attizza e spegne il fuoco con precisione da farmacista, si capisce che dietro a quelle sventagliate di denti e mani ci sono tonnellate di mestiere. Il suo numero preferito è il: che vor ddì? Appena si affaccia timidamente una parola che non è proprio usuale, lui si illumina, schizza un'occhiata trionfale alla camera (a me), si appiccica all'intervistato e spara con voluttà irrefrenabile la formula magica: che vor ddì? Poi si rivolta verso la camera (Cristo, guarda proprio me) e cerca la mia gratitudine. È il suo trucco migliore. Stare di qua e di là della telecamera. Fare le domande che farebbe il suo droghiere, dare le risposte che darebbe il suo postino, essere quello che è la ggente (con due g). Lui non è nessuno. Lui è noi. Boom.

C'è chi lo odia. C'è chi lo ama. Credo che abbiano ragione gli uni e gli altri. È insopportabile il suo dilagante romanesco (perché testa deve diventare capoccia?), ma poi le donne di servizio le chiama donne di servizio, e non colf, eufemismo penoso. Fa domande di un candore meraviglioso (chiede a un onorevole pidiessino cosa vuole il Pds), e con lo stesso candore fa finta di commuoversi all'umanitaria offerta di 3 per 2 del supermercato sponsor. Grida lo scandalo dell'ingiustizia fiscale e da parte sua quello che ritiene conveniente fare è avvicinarsi alla telecamera e dedicare agli evasori un perentorio epigramma: cornuti. È fatto così. Ci salva dall'impellenza di capirlo il fatto, in sé salvifico, che si tratta poi solo di un fantasma dell'etere. Basta, per farlo sparire, che un dito decida nella sua modestia di non inseguire traguardi utopici come il culo del futuro, e si dedichi più mitemente al dimesso sforzo di transitare da un pulsantino all'altro. Lieve pressione e tutto è finito. Basta un click.

Click.

L'ultimo giorno, alla Biennale

In realtà, il vero spettacolo da non perdere, a Venezia, era la faccia della Russo Jervolino sepolta dai fischi e salvata dal presidente Oscar Luigi Scalfaro, scena niente male, già solo la foto è bellissima, quella finita sui giornali, con Pescante, presidente del Coni, lì in mezzo, incartocciato dall'imbarazzo, travolto dalla voglia di non esser lì.[1] Lo spettacolo vero era quello. Però non era annunciato. Così ho ripiegato sulla Biennale Arte. Quella di Achille Bonito Oliva.

Andare alle mostre poco prima che chiudano è una cosa un po' particolare. Per così dire, le trovi già in pantofole e vestaglia. Aria da ultimo giorno di scuola, poca gente, puoi toccare quello che vuoi, i controlli sono bonari, il percorso da fare lo capisci leggendo le ditate nere sugli spigoli delle pareti bianche. Anche le opere, a modo loro, barcollano. Quelle all'aperto non ce la fanno più, quelle dentro hanno un'aria spenta, come se troppi sguardi avessero tolto loro quella glassa di meraviglia che Benjamin chiamava aura. Detto così sembra una mestizia. Ma ha il suo fascino. Retrogusto da tranquilla domenica sera.

Dal gran bailamme di conati creativi e acrobazie dell'immaginazione, mi son portato via l'impressione di una inspiegabile stanchezza collettiva, e le benigne feri-

---

[1] Ai tempi la Russo Jervolino era Ministro alla Pubblica Istruzione. In piena contestazione studentesca se ne era andata in piazza San Marco, a Venezia, a santificare i Giochi della Gioventù. La fischiarono talmente che dovette smettere. A sedare gli animi dovette intervenire il Presidente Scalfaro. Adesso sembra una barzelletta, allora finì sulle prime pagine di tutti i giornali.

te di due ricordi. Il primo lo devo a un ispano-americano che si chiama Andrés Serrano. Espone alle Corderie, sezione *Aperto '93*, parcheggio per artisti che forse saranno famosi, forse no, a vedere quel che fanno si spererebbe di no. Serrano scatta foto negli obitori. Un allegrone. A Venezia ne ha esposte quattro. Una si intitola *Jane Doe, uccisa da un poliziotto*. Sarà due metri per due. A colori, fondo nero. Di Jane Doe c'è solo la testa. Di profilo, adagiata su un tavolo che non si vede. Capelli biondi, ricci, impastati di sangue secco. Sopra l'orecchio si intravede una ferita. È bellissima, Jane Doe. La prima cosa che ti sorprende è quella: è bellissima. Lineamenti perfetti, anche se il volto è color bruno, con tutto quel sangue rinsecchito sulla pelle, sembra scolpito in un legno scuro. Non c'è nessuna smorfia di dolore, inchiodata lì dal flash istantaneo della morte. Togli il sangue, e potrebbe essere la pubblicità di una crema idratante. Giureresti che è viva, coi suoi riccioli appena usciti dal parrucchiere. Poi ti accorgi degli occhi. Non ci sono. Un gioco di luce, o forse è la morte che si è già messa a scavare. Dove cerchi l'occhio vedi solo un buco nero. È già un teschio, lì, Jane Doe. Tutta quella vita e tutta quella morte, insieme, in una faccia sola, io non le avevo mai viste. È una cosa che ipnotizza. E rende insopportabile non sapere niente altro, come l'hanno uccisa, forse per sbaglio, cosa aveva fatto? anche lei ha sparato? e quando è successo, e dove. Chissà che storia, quella di Jane Doe.

E poi il padiglione dei tedeschi. L'altro spettacolo vero, in mezzo a tanti falsi. Palazzina bianco sporco, neoclassico sguardo un po' fascista. Sulla porta incombe, come un'icona sacra, una moneta da un marco, gigante. Dio. All'ingresso, una foto dalla Biennale Arte del 1934. Hitler, in vestiti borghesi, il ciuffo, perfetto, a tendina sulla fronte, la riga disegnata in testa con una meticolosità da far paura. Al fianco una faccia da fesso con sopra un fez e sotto una camicia nera. Per entrare nel padiglione devi girarci intorno, a quella foto. Pochi passi, e poi quel che vedi ti arriva addosso con la violenza di un boato di silenzio. Non c'è niente, dentro. Uno stanzone enorme, tutto bianco, e non c'è proprio niente, neanche una scritta, niente. Però il pavimento, l'enorme pavimento, è una distesa di piastrelle rotte, centinaia di tessere di pietra frantumate e lasciate lì, come uno specchio esploso sotto la frustata di un terremoto lungo un istante. La gente non osa nemmeno camminarci sopra. Resta ai bordi del disastro, senza saper ben che fare. Poi se ne esce. Anche se camminano piano, è fuggire quel che fanno.

Fuori è tutto un ammasso di tubi catodici e scorie da elettrodomestico morto. C'è anche la carcassa di un Maggiolino Volkswagen. A testa in giù.

Una patria per Bossi

Comizio di Bossi a Torino, città del leghismo sommesso, composto e, provvisoriamente, perdente.[1] "Non c'è bisogno di gridare, qui si tratta di ragionare," fa lui. Camaleonte di genio, ha già capito in che razza di città è finito: e si allinea. Niente manico, niente gestacci, poche volgarità. Gli scappa giusto un "cornuto" diretto a Chiambretti: il resto lo abborda col piede sull'acceleratore e il freno a mano tirato.

Tutt'intorno il popolo della Lega; impegnato in una riuscitissima imitazione di una Festa dell'Unità. Piadine e porte blindate, lotteria e giochi goliardici, tome e spazzole pulisci tutto. Cambiano le bandiere, ma l'odore è lo stesso, l'aria è la stessa, perfino la gente sembra la stessa. Forse i comunisti avevano un po' più bambini (si è accertato poi che, effettivamente, non li mangiavano), e una specie di allegria immotivata addosso che qui fai fatica a ritrovare. Ma sono sfumature. Di fatto, a passeggiare tra aspirapolvere e salami al tartufo vedi le facce di un'Italia che ormai è sempre uguale, e dappertutto: a Loreto in pellegrinaggio, alla tivù ad applaudire il gioco idiota di turno, alla partita a tifare contro, in piazza a urlare dietro ai ladroni, per strada a vivere, ognuno come può, meglio che può. Sarà un'impressione, ma la moda è occultare le differenze. Sulle facce non si legge più niente, perfino le scarpe non tradiscono più nulla. Tutti in tuta mimetica, con addosso i colori

[1] Novembre '93. Elezioni dei sindaci. Bossi prova a far eleggere tal Comino a Torino (forse per via della rima). È il Bossi prima maniera: neanche si immaginava una cosa chiamata Polo delle libertà.

della normalità, per acquattarsi nella giungla dell'insignificanza totale. Guerriglieri dell'ovvietà.

Bossi arriva che sono le cinque e mezzo. Il coro Tamagno intona *Va' Pensiero*, scatta l'applauso sui versi *O mia Patria sì bella e perduta*, strana cosa per gente che ha il vezzo di dire "i popoli italiani" invece che "il popolo italiano", forse pensano al Piemonte-nazione (così lo chiama Rocchetta, dal palco), forse è solo il cuore che se ne frega, Verdi è sempre Verdi, al diavolo il federalismo, viva la Patria, mah. Quando l'Umberto sale sul palco si scatena la torcida, bandiere, applausi, urla. Lui però sembra impermeabile a tutto, si aggira là sopra con l'aria di uno che si è perso, perfino un po' imbarazzato, gli importa solo di iniziare a parlare, trova la via del microfono, neanche un gesto ruffiano alla folla adorante, nessun minuetto, impugna i due microfoni come un salvagente e attacca. Silenzio. Parla Bossi.

Parla per un'ora e mezzo, e questo già la dice lunga. Spiega tutto. Chi ci ha fregato, con che sistema, a partire da che giorno, con l'aiuto di chi. Con un vocabolario da bar e una sintassi più che decorosa, rende tutto, improvvisamente, comprensibile: sulla mappa incasinata di 40 anni di malgoverno lui incide la rassicurante chiarezza di una freccia a prova di deficiente: voi siete qui. Venite da là, vogliono farvi andare lì, e invece vi porteremo laggiù. Non è poi nemmeno così importante che dica cose vere. La gente, che comunque ama più una falsità chiara che una verità incomprensibile, ulula la propria gratitudine.

Ulula, va detto, soprattutto quando si toccano due tasti: il portafogli e la rabbia. Il primo è ovvio. Bossi è uno capace di convincerti che i due milioni di miliardi del deficit dello stato sono soldi direttamente prelevati dalle tue tasche e depositati in tasche altrui. Senza tanti ricami da economista. Un furto e basta. Non so se sia vero. Certo è chiaro. Ed è esattamente quello che a chiunque piacerebbe credere. Lui lo dice, la gente va in delirio. Sulla rabbia, invece, la faccenda è più sottile. Sono stato bene attento: fa degli slalom da dio, l'Umberto, e di violenza non parla mai. Però fa delle rasette micidiali: e la gente non si tiene più. Lui dice che milioni di italiani sono pronti a rispondere a un cenno della

Lega. Si ferma lì. Ma il suo popolo, sulla spinta, va di fantasia ed esplode in un boato dove l'inconfessata voglia di menar le mani galleggia come un combustibile che non puoi non sentire. Lui si limita a urlare: "Stai attento, amico Ciampi...[2]" ma l'urlo che gli risponde dalla platea riempie quei tre puntini di una rabbia che è difficile immaginare placata nel mite rito della cabina elettorale. Non è una bella sensazione, starsene lì, in mezzo a quell'urlo. No. Magari è tutto un gioco. Ma non è piacevole lo stesso.

Dopo un'ora e mezzo, sono ancora quasi tutti lì. Bossi ha un po' perso il controllo, è decollato su strane teorie sul Cristianesimo, sbanda alla grande discettando di ideologie, di Occidente, di valori, finisce per perdersi completamente, se ne frega, decide che può bastare, chiude la mano destra a pugno e conclude: viva la Lega, viva Torino (o Comino? boh). È il momento di estrarre il biglietto vincente della grande lotteria. Primo premio: una 500.

Come sempre il possessore del biglietto non si trova.

[2] Ai tempi, Ciampi faceva il traghettatore, a Palazzo Chigi.

Il Parsifal australiano di Wenders

È Viareggio, ma il cielo sembra un cielo tedesco, spara giù acquazzoni da un minuto seguiti da rapidi trailer di sole che vengono ingoiati da un altro temporale lampo, e così via, forse non finirà mai più. Forse è il pezzo di cielo che, fantozzianamente, si è portato dietro Wim Wenders, venuto lì, a Viareggio, per ripetere come il cinema americano ci stia strangolando, e per far vedere – prima volta nella storia del mondo – la versione integrale del suo penultimo film, *Fino alla fine del mondo*: 280 minuti, 4 ore e quaranta, una maratona. Gira e rigira, non c'è tedesco geniale che non tenti, prima o poi, di scrivere il suo *Parsifal*.

In sala c'è il pienone, è il pubblico da festival che sta seguendo *Europa Cinema*, gente con il cinema nella testa, nelle tasche, nei sogni. Dappertutto. Quando Wenders fa capolino da uno dei palchi è trionfo immediato, apoteosi istintiva. Dice che nessun distributore si è mai azzardato a presentare nelle sale normali quella cosa così lunga, e così noi siamo i primi (forse gli ultimi?) a vederla, i primi a parte lui, il suo montatore e il suo tecnico del mix sonoro. Bella sensazione. Con i miliardi di occhi che ci sono al mondo, saranno i nostri a vedere quel che nessuno ha mai visto, le prime rètine a scannerizzare quel cumulo di input visivi, per trasmetterli al cervello che poi ci penserà lui, in qualche modo, a raccontarli al cuore. Doveva sentirsi così, la pellicola dei fratelli Lumière, al tempo.

Si spengono le luci, si accende lo schermo, scivolano le didascalie in italiano, maledettamente piccole, ai piedi delle immagini, come un suggeritore nano che grida a bassa voce. Europa, anno 1999. Un satellite nucleare indiano impazzito nel cielo. Una catastrofe appesa al caso. William Hurt, con quella sua aria da furbo pistola, gira il mondo a catturare immagini con una strana macchina fantascientifica. In un angolo dimenticato dell'Australia, sua madre, cieca, aspetta quelle immagini, che un marito geniale riuscirà a farle arrivare direttamente al cervello, senza passare dagli occhi. Fantascienza. Metafora. Parabola. Il *Parsifal*, penso (e due).

Della versione ridotta, quella per il pubblico normale, mi ricordavo la meraviglia assoluta per quel mondo futuro raccontato all'europea (con intelligenza) e non all'americana (con i miliardi); e poi quella colonna sonora magico puzzle di tutto il meglio del nostro paesaggio sonoro; e poi la noia crescente quando si arrivava in Australia, nel laboratorio dello scienziato pazzo. Non saprei dire quel che non c'era lì e che invece c'è qui, nella versione integrale. Ma non è la storia, che cambia. Sono i tempi. I tempi di tutto. Affogate un minuto di cinema in un film di quasi cinque ore e diventerà diverso. Cambia la percezione, cambiano i meccanismi mentali, cambi tu. Ed esattamente come con il *Parsifal* (e tre): dopo la terza ora scatta una specie di effetto nirvana che cancella il tempo e ti consegna al Tempo. Così, quando si spalancano sullo schermo gli infiniti paesaggi australiani, ti si è già spalancata dentro al cervello la tua macchinetta percettiva, e il respiro di quei paesaggi senza misure è il tuo respiro, e tu sei là, e tu sei quella roba là. Da quel momento potresti anche rimanere al tuo posto per ore. Non ti importa neppure più tanto di quel che ti stanno raccontando. Ascolti la *voce* del narratore, non quel che dice. È come aver scollinato al di là del reale.

Così. E tutta la parte australiana è ancora più lunga che nella versione ufficiale, ma non ti importa, perché la noia, come concetto e sensazione, è ormai decaduta dall'indice del possibile. Il film si trascina verso un finale che non trova, divaga e dilaga, ma quell'andatura – insopportabile in una situazione normale – ha il passo esatto della tua attenzione, ormai defluita in un'anestetizzata levitazione da fachiro indiano. È come una droga (proprio come il *Parsifal* e quattro, fine), e te ne accorgi quando si riaccendono le luci e sei costretto a uscire di nuovo per strada. Ti guardi attorno e vedere risulta d'improvviso un gesto povero, frenato, orrendamente riduttivo. Istintivamente ti aspetti l'inquadratura: e invece ti arriva solo la miseria di quel che vedi. Senza un montatore che si sia occupato di organizzartelo, il reale ti arriva addosso come una strisciata di immagini insignificante e lontana. Daresti qualsiasi cifra per un primo piano, per un dolly. E invece niente. Armeggiano, gli occhi, e tentano l'impossibile, in chiara crisi di astinenza da cinema.

Ovviamente non bastano 4 ore e 40 di film per ottenere curiosi effetti del genere. Devono essere 4 ore e 40 di Wenders. Uno che pensa il cinema come un modo di vedere, prima ancora che di raccontare, o spiegare o capire. Credo sia il tratto che ne fa un grande. Quando non viene sepolto da incredibili aspirazioni da telepredicatore (cfr. l'ultimo film, *So far, so close*), regala la confortante sensazione di vedersi regalare qualcosa da un genio.

Figli di un Dio ubriaco

Non esiste il male
Esiste Dio
che ogni tanto si ubriaca

Tom Waits

È poi soltanto un disco. Eppure.

Lo metti su e senti arrivare da lontano una voce da vecchietto, ma quei vecchietti che stanno in piedi per miracolo, tenuti dritti dal cappottone, e dall'odore di naftalina addosso. Canta, il vecchietto. Con una voce piccola, sottovoce, intonato però, e dolce, in qualche modo, fanno tenerezza quelle note in alto, uncinate per un pelo, e tremolanti. Ci senti tutti i denti che non ha più, il fiato corto, e l'artrite e tutto il resto. Non c'è altro: solo la sua voce, che canta senza mai smettere lo stesso ritornello, sereno, e un po' malinconico. Niente accompagnamento. Qualche rumore di fondo, voci lontane. Delle parole non capisci niente. E non solo perché è inglese. Senza dentiera, con tutti quegli anni, le parole diventano fantasmi. Suoni. Ma che razza di disco è mai, ti chiedi.

È un disco che attualmente è in vetta alle classifiche inglesi. E che ha una storia strana. Nel 1971 un musicista che si chiama Gavin Bryars si mette a registrare, per la colonna sonora di un documentario, le voci dei barboni che vivono alla Waterloo Station, Londra. Registra di tutto. Poi un giorno incontra quel vecchietto. Barbone anche lui. Lo sente cantare. Registra e porta a casa. Risente. Rimane come ipnotizzato. Scopre che quel ritornello viene da una canzone religiosa (*Jesus' blood never failed me yet*), e scopre che è fatto ad anello: lo puoi ripetere all'infinito, è come una nenia interminabile. Ci lavora su per anni. Fa un primo disco che diventa un cult fra i pochi intimi che lo sentono, poi riprende a lavorarci, e dopo vent'anni se ne esce con questo cd: 75 minuti, la voce del barbone che canta ininterrottamente i 25 secondi del suo ritornello. Che idiozia, pensi. Ma è perché non lo hai ancora ascoltato.

Dopo un paio di minuti senti arrivare, alle spalle del vecchietto, un'orchestra d'archi, da lontano, a poco a poco, che si carica sulla sua voce, la avvolge in una coperta, per così dire, e se la porta in giro. La voce è sempre quella, ma incomincia a suonare diversa. Si scalda, sotto la coperta. Ma guarda, pensi. E intanto, a poco a poco, quasi non te ne accorgi, arrivano delle arpe e poi delle campane, e un coro, e delle percussioni, e poi un flauto, due clarinetti, un oboe, e le trombe, e i tromboni (piano, però, per non spaccare nulla) e perfino un organo, e una specie di gong e chissà cos'altro. La vocina del barbone continua a cucire il suo ritornello, minuscola e fragile, ma è diventata ormai una reliquia portata in corteo, un ossicino di un santo che ti guarda dall'alto di una processione sontuosa: al rallentatore, ondeggia e va, per le stradine della tua testa.

Potrebbe anche bastare ormai – lo senti – quella musica ti ha incastrato. Ma non è ancora finita. A un certo punto, nella gran processione si fa largo un'altra voce, sembra sparata in un megafono, poi si avvicina e allora la riconosci, sarebbe impossibile non riconoscerla: Tom Waits. E chi, se non lui? Tom Waits – lo dico ai pochi che non lo sanno – è uno che canta e nella sua voce ci sono le voci di tutti i barboni ubriaconi del mondo. Non è una voce, è una discarica pubblica, è una sigaretta lunga anni, è milioni di birre e chilometri, e centinaia di amori e motel. È una delle voci più emozionanti che vi può capitare di ascoltare. E adesso arriva lì in mezzo, a duettare con quel barbone che nel frattempo è morto, ma non importa, la sua voce non si è mai più fermata, tutti e due a dondolare su quel ritornello eterno, e inarrestabile. Tom Waits. E il vecchio barbone. Figli di un Dio ubriaco. Sembra che non abbiano fatto nient'altro tutta la vita. Solo cantare insieme, tutto il tempo. E scolare birre, naturalmente.

Finisce che a poco a poco la processione si allontana, come è venuta adesso se ne va, sparisce dentro lo stereo, si lascia dietro un po' di violini impiccati su note altissime, e brandelli di Tom Waits che sparacchiano note come sberleffi al mondo. Il barbone se n'è già sparito. E tu lì a chiederti: chissà come si chiamava. E quando è morto, e come, e dove. E se ne sapeva altre, di canzoni così.

Grand Louvre

I francesi. Un giorno gli è venuto in mente che il Louvre, tutto sommato, era un po' piccolo. Così si sono inventati il Grand Louvre, una cosa immensa, più di 160.000 metri quadri. E hanno cominciato col prendere l'alloggio vicino: l'ala Richelieu, 21.500 metri quadri. Hanno sfrattato l'inquilino (Ministero delle Finanze) e con un miliardo abbondante di franchi hanno ristrutturato l'alloggetto. Dieci anni di cantiere. Tanto per far quadrare i conti avevano in mente di inaugurare duecento anni dopo l'apertura del primo Louvre. Ce l'hanno fatta. E il 21 novembre 1993, dopo un paio di preinaugurazioni per critici, vip e fighetti vari, hanno aperto le porte per la gente. Gratis. E ci sono andati tutti. Me compreso.

Entri da rue de Rivoli, scendi una scala, fai una cinquantina di metri di Galleria commerciale (i mercanti nel tempio) e poi ti inchiodi, perché Ieoh Ming Pei, l'architetto cino-americano che è la mente di tutto, ha deciso che lì ti saresti inchiodato, e saresti rimasto di stucco: e in un enorme atrio ha messo una piramide di vetro a testa in giù. Parte dal soffitto e arriva fin quasi al pavimento. Alzi la testa e vedi il cielo, e nel cielo quelli che, fuori, passeggiano sulla base della piramide, tutti incappottati perché fa un freddo micidiale, un po' esitanti, non proprio convinti di non cadere giù: e da là ti spiano, divertiti, come se fossi un pesce, e tutto quel prodigio un acquario. C'è un bel controluce alla Storaro: da sotto, attraverso i vetri, vedi tra le nuvole quelle figurine nere che sembrano camminare nel niente. Un Magritte. Tutti col naso in su, bolliti dalla meraviglia.

A quel punto, recuperata la mobilità, avrei dovuto entrare. Ma è successa una cosa. Che sono risalito in superficie, sono entrato nel gran cortilone Napoleone, dove c'è l'ingresso principale (la prima piramide, quella dritta), e d'improvviso mi è apparsa: la coda. Ma non una coda qualsiasi. Quella era La Coda. Mai visto niente del genere. Negli zero gradi di un pomeriggio preso per i fondelli da un sole telefonato, un serpente umano strisciava lento e lieto lungo tutto il perimetro del gran cortile e poi si infilava sotto un arco e risbucava in un altro cortilone (Cour Carrée) e anche lì si faceva ai quattro lati per poi scivolare fuori, dove ormai non era più Louvre, era città, era Parigi. Chilometri.

Così, rapito da quello spettacolo, ho dimenticato il Grand Louvre e mi son fatto la coda, ma al contrario, risalendo dall'inizio alla fine, camminandole di fianco in controsenso, come se fossi una macchina da presa, e guardar le facce, e la gente, e quella Francia messa in fila per dire io c'ero e forse: tutta quella meraviglia è anche un po' mia. Una carrellata da film. Due signore in pelliccia, sicuramente insegnanti in pensione / la comitiva della parrocchia, tutti col distintivo sul bavero / un lui e una lei che sembrano Maigret e signora / qualche giapponese / una famiglia di neri, cinque bambine, tutte femmine, un'orgia di treccine e giacche a vento viola / gli italiani, vestiti come se fossero a Courmayeur, gli manca solo il giornaliero al collo / i tre amici sui cinquant'anni, venuti dal bar biliardi in periferia, giacchetta sciarpa e gauloise, aria da galletti, identici a quelli che dal bar biliardi escono fuori, nei paesi, quando passa la processione, e al momento buono sembra che scaccino il fumo dagli occhi e invece era un segno di croce / altri giapponesi / quella in minigonna e tacco alto, forse lui le aveva detto ti porto a ballare / i marocchini, sempre in tre, e solo maschi, mai una donna, silenziosi, la Francia sono anche loro / le parigine pallore alla Deneuve e rossetto tutto il giorno (ma baciano mai, quelle?) / quello che ha fatto il Sessantotto per cui non ha il cappotto, e nemmeno un giubbotto, ma un maglione e un figlio nello zaino, che dorme (col succhiotto) / altri italiani, enormi Nike ai piedi e cappellino dei Lakers (stati in America, mai più rinsaviti) / manager e signora, scarpe lucide lui, cappello da matrimonio lei / *baguettes* flottanti di bocca in bocca, pâté, prosciutto, camembert / giapponesi / di nuovo Maigret e signora / un bambino che si succhia il cervello (o lo stimola, non si è ancora capito bene) con un videogame portatile / rumoroso gruppetto di mezza età, ridono come matti, chissà se era Bordeaux o Beaujolais Nouveau / le tre amiche stivali da parà, orecchini dappertutto, rossetto nero, e in mano il supplemento di "Le Monde" / facce, facce, e guanti, e Francia...

Voglio dire: uno spettacolo.

Così, poi, non ci sono andato al Grand Louvre. Più di tante cose, negli occhi, non ce le puoi far stare, in un giorno solo.

Grand Opéra

Non gli bastava, ai parigini, la vecchia, trionfale Opéra Garnier. Se ne sono fatti un'altra, di Opéra, alla Bastille. Discretamente brutta. Su questo convengono anche loro. Il Grand Louvre gli è venuto bene. L'Opéra Bastille, no. Pazienza. Tanto prima o poi se ne faranno una terza. Basta aspettare.

Bisogna andarci, comunque, nel gran palazzone, tutto marmo, legno lucido e porte da un quintale: perché dà un'idea di cosa diventerà l'opera nel 2000. Niente più sale a ferro di cavallo, niente più dorate bomboniere dove il suono gira come nella cassa di un violoncello. Megasale, spazi enormi, palcoscenici giganteschi, migliaia di posti, gallerie a più piani che si sporgono sulla testa di quelli in platea. Così, per togliermi la curiosità, sono salito su fino all'ultima galleria, e poi fino all'ultima fila, quella proprio più in alto, l'ultima: e mi sono seduto (in un posto che, peraltro, per averlo bisogna prenotare settimane prima). A parte che se soffri le vertigini sei finito, quel che vedi sono cantanti piccoli come cowboy che cavalcano lontano, all'orizzonte, nel finale dei western. Chissà cosa senti. E come diavolo fai a commuoverti, da lassù, per quella gente che si ama e muore cantando, ma così lontana che alla fine non te ne deve fregare più niente. C'è da scommetterci, finirà così: un bel video nello schienale della poltrona davanti, amplificazione del suono in sala e poltrone con effetto *sensurround*. C'è da scommetterci.

Per farmi un'idea ancora più puntuale di cosa sarà l'opera nel 2000, all'Opéra Bastille ci sono andato per vedere una *Butterfly* fatta da Bob Wilson. Lui è uno di quelli che una cosa l'ha capita: il teatro musicale è roba del passato, d'accordo, ma il gioco consiste nel servirla sul piatto della modernità: e coi sapori, i colori, i ritmi, le salse del moderno. Capito questo, le vie di fuga sono infinite. Quelle che sceglie lui fanno riflettere, spesso emozionano, alcune volte lasciano interdetti. Quella *Butterfly* otteneva tutte le tre cose insieme.

Ha tolto tutto, Wilson. Il Giappone da cartolina, la casetta nido d'amore, il filo di fumo. La scena si riassume in un praticabile che con molta immaginazione si può interpretare come un giardino zen, ma in realtà è un praticabile con un paio di corsie e basta. Nessun fondale. Solo luci, che vanno, vengono e raccontano. Anche gli oggetti sono spariti. C'è una sedia, una spada (quella che brandisce lo zio Bonzo), e la lettera di Pinkerton, in mano a Sharpless, al momento buono. Ma i servi portano vassoi che non ci sono, i protagonisti sorseggiano tè da tazze che non esistono, e Butterfly si uccide con una lama che non c'è, si uccide con un gesto esatto della mano (morte bellissima, bisogna dire, come se si accarezzasse il cuore, e invece è una pugnalata, e poi scivola a poco a poco via dalla vita, con un movimento che sembra una danza sacra, non il solito stramazzare al suolo da frittata caduta fuori dalla padella). Perfino la lettera, quella di Pinkerton, Sharpless la stringe in mano ma non la legge, come dovrebbe: la tiene in mano con il braccio teso, come se fosse una spina a cui si è attaccato: e recita il testo senza guardarla. È il totale azzeramento di qualsiasi tratto didascalico, pietra angolare delle regie tradizionali d'opera. Non c'è più bisogno di far capire: la gente sa già tutto. Bisogna mettere in scena, e quella è un'altra cosa.

Una cosa che Wilson insegue abbattendo un altro dei totem dell'opera: la gestualità. Tutto quel repertorio di stucchevoli gesti standardizzati che significano sono commosso, ho paura, lo odio, vendetta vendetta, ecc. ecc. Tutto sparito. I comprimari sono stretti in una gestualità che è una coreografia orientale, più vicina alle arti marziali o alla danza che alla recitazione vera e propria. Il tenore, lui sì, continua a muoversi come se fosse Pollione, niente da fare, anche Bob Wilson si deve essere arreso, i tenori non li smuoverai mai da lì. Ma

Sharpless si muove come in un film americano in bianco e nero. E lei, Butterfly, la bravissima Diana Soviero, quel che fa è danzare, dall'inizio alla fine, una danza orientale fatta di mani e sguardi e figure da piattino di porcellana. Perfino il bambino, quel micidiale bambino a cui di solito mettono in mano le bandierine americane, una pena infinita, l'atroce bambino a cui non si sa mai cosa far fare, fa cose semplici ma giuste, si muove da bambino, ha una specie di coreografia sua, una collezione di gesti non gratuiti, e veri, teatro puro, bellissimo.

Risultato: uno spettacolo intelligente, molto frigido, imploso. Non è più opera, ma lo è *di nuovo*. Dopo averla ammazzata, la si fa rinascere. Operazione intrigante. Con qualche debolezza. Troppo cervello, forse, e poche viscere. Con l'immaginazione castigata nei confini di un tratteggio minuto e maniacale. Impossibile uscire, alla fine, senza sentire, insieme a una certa ammirazione, una strisciante e inesorabile nostalgia di Ronconi.

Un grido in cerca di una bocca

Ha un bello spremersi, il mondo tutto, per intrattenerti con il suo grande show quotidiano, a suon di dollari lacrime e sangue, ma poi c'è sempre la volta che a inchiodarti per la meraviglia è il niente di una frase, letta per caso, lunga poche parole, un'inezia.

Ad esempio. Hubert Selby Jr. è il nome di uno scrittore americano che pochi conoscono. Quando dici che è lui ad aver scritto *Ultima fermata a Brooklyn*, allora tutti si ricordano di conoscerlo. Non che abbiano letto il libro, questo no. Ma il film, quello se lo ricordano. E tanto basta. A scanso di equivoci, bisogna annotare che lui è un grande, un grande davvero, uno dei maestri, uno che lo leggi e poi non scrivi più uguale a prima. Una specie di Céline newyorkese. La prosa di *Ultima fermata a Brooklyn* (suo primo libro e suo capolavoro) è lava bollente, è letteratura terremotata, è scrittura squarciata. E non per il gusto puro e semplice di far casino. Racconta il normale orrore di un pezzo di New York. Ma, più propriamente, non lo racconta: lo è. È il puzzo, il ritmo, le voci, il sangue, i cessi, l'aria, le macchine, il fumo, e le luci e le notti di quell'orrore. Chiaro che il "bello scrivere" ne esca un po' ammaccato: divelto, squartato. Una presa in diretta della realtà, come diceva Céline. E la realtà non si spalma sul mondo con la geometria di una bella frase proustiana: la realtà va a capo quando non te l'aspetti, se ne frega della punteggiatura, non ha una voce narrante che ti tranquillizza, e non ha dialoghi ma gente che parla. Non le hanno fatto l'editing, alla realtà. Bisogna prenderla un po' com'è. Selby la prende così com'è. Letterariamente parlando, una sublime rissa narrativa.

(C'è anche un'altra cosa molto bella che il pubblico italiano può leggere di Selby Jr. Un racconto. Si intitola *Canto della neve silenziosa*. È la storia di uno che ha avuto un esaurimento nervoso. Moglie e figli, intorno a lui, che misurano i gesti come se tenessero in mano una bolla di sapone. Lui sente, capisce, ed è orribile. Poi un giorno esce, mentre nevica, a farsi la passeggiata che il medico gli ha ordinato. E cammina sulla neve. Fine. Con una scrittura più mite di quella di *Ultima fermata*, quasi una scrittura convalescente. Una scrittura che sta uscendo dall'esaurimento nervoso. Commovente.)

Va be'. A forza di dirlo, che Selby è un grande, mi vedo arrivare da un lettore (Marco Drago, da Canelli) un'intervista fatta da Lou Reed a Selby in persona. Curioso. Dice che Lou Reed aveva il pallino di Selby. E un giorno se l'è andato a cercare. E l'ha intervistato.

Reed: Quanto tempo ci è voluto per scrivere *Ultima fermata a Brooklyn*?

Selby: Sei anni.

R.: In modo intermittente?

S.: No, ogni notte. Ogni cazzo di notte, amico.

Il tono è quello. Un pezzo di letteratura, a modo suo (per chi vuole leggersela, è pubblicata in un libro dell'editore Arcana intitolato *Lou Reed tra pensiero e espressione*). Insomma, è lì che ho trovato la frase che mi ha lasciato di stucco. Proprio nel finale. Le ultime battute. C'è Selby che parla della ferita che è stata la vita per lui e per quelli intorno a lui, e dice di com'è difficile dare una forma a quel dolore, e a quell'ira, "non riuscivo a trovare un modo per fermarmi e addolorarmi per ciò che mi era capitato... Non sapevo come commuovermi e dire, semplicemente, Lo sai? Hai avuto una vita difficile, sei finito male, e allora, che si può fare adesso? Proprio non riuscivo a dirlo. Mi capisci? Mi sentivo sempre come il campo di battaglia fra le orde del paradiso e le orde dell'inferno". E qui mi immagino che abbia preso un attimo di fiato. Per poi dire:

– *È un grido in cerca di una bocca.*

Così.

Selby: È un grido in cerca di una bocca.

Reed: (Ride.)

S.: Mi capisci?

R.: Un grido in cerca di una bocca.

S.: Quello ero io.

Fulminante, no? Avrebbe potuto dire "Un grido in cerca di una voce" e sarebbe stata già meno bella. Ma non gli dev'essere neanche passato per la testa, l'eufemismo. Niente voce: bocca.

Un grido in cerca di una bocca. A parte che è la più esatta descrizione possibile della prosa di Selby, a parte questo: avete idea di quante cose ci siano, in giro, che sono un grido in cerca di una bocca?

Il jazz nero di Dee Dee

Non nevica, non fa nemmeno tanto freddo, è una domenica sera, ma in piazza Chanoux non si vede anima viva, se ne sta lì pulita pulita, illuminata come un monumento, e completamente vuota. Dov'è finita Aosta? Tutti a casa a vedere la *Bibbia* alla tivù?[1] Mah. La provincia continua a essere un mistero insondabile. Ci arrivi e pensi: qui non si può che morire. Poi leggi sul giornale che quelli vivono meglio di tutti, piccoli paradisi borghesi che al confronto le metropoli sono inferni. Sarà. Ma in piazza Chanoux continua a non esserci anima viva, cammini e senti i tuoi passi come se te li rimandassero in cuffia. Intorno il vago fastidio di quando capiti in quei posti in cui l'italiano è la seconda lingua. Qui va forte il francese. Con sottile soddisfazione vedo un cartello appeso al *dehors* abbandonato di un bar, parla francese, e la cosa lo costringe ad arrotolarsi in un grandioso ossimoro: *"Dehors à l'intérieur"*. Nei giornali locali appesi nelle bacheche, sotto i portici, ti occhieggiano delle prime pagine che sono le stesse dappertutto, lungo lo stivale, cambiano solo i nomi: apprendo che il satrapo di qui si chiamava Augusto Rollandin, adesso sta lì ad annaspare in vari guai giudiziari. L'articolo di fondo dice che è l'ora del rinnovamento. Tutte uguali, dico, cambiano solo i nomi.

Giri l'angolo, ti lasci la piazza deserta alle spalle e arrivi al Cinema Teatro Giacosa. L'unica sala teatrale di Aosta. Uno di quei cinemoni anni cinquanta che di soli-

[1] Ai tempi, la domenica sera, Rai Uno offriva il gran filmone della Bibbia.

to si sono rifatti una vita, all'inizio degli anni ottanta, travestendosi da supermercati. Il Giacosa no, tiene duro, lui: orrendo, ma eroico. Non mi risulta che gli aostani siano così poveri, e non riesco a capire. Guardo il cartellone della stagione e ci trovo i Momix, la Gasdia, Martone, quelli del Concerto Köln, una pièce di Max Frish, *Cabaret* (nel senso del musical), *Erodiade* di Testori, i Wiener Sangerknaben... Tutti nel cinemone muri giallastri e rivestimenti in legno, vago ricordo di sciovia d'altri tempi. Possibile? Sarà così difficile farsi un teatro vero? Chissà cosa ne pensava il buon Rollandin.

Comunque. Domenica sera, nel cinemone, c'era Dee Dee Bridgewater, debutto della sua tournée italiana, lei candidamente preoccupata perché qui ha vinto un Festival di Sanremo (in coppia con i Pooh) e invece nella vita canta il jazz, la capiranno o si aspetteranno solo belle canzonette? Ad Aosta la capiscono. Teatro pieno, inizio un po' raggelante ma poi applausi ed entusiasmo e affetto. Più che cantare, lei suona uno strumento complicatissimo che è la sua voce. Un nugolo di timbri, registri, ugole raccolte in una voce sola. Quattro cantanti in una. Lo spettacolo si intitola *Keeping Tradition*, ed è un modo per dire che lei, Dee Dee, è l'erede di un miracolo iniziato decenni fa, e passato da nomi come Billie Holiday, Ella Fitzgerald, Sara Vaughan. Chissà. Certo il jazz che tira fuori insieme ai suoi tre partner (piano, contrabbasso, batteria, tutti bianchi, non gli strumenti, i musicisti) è quel jazz pulito pulito, precisino precisino, tirato a lucido, elegante e caldo, mai così complicato da diventare freddo, ma sempre un po' sopra alla semplicità, per far sentire raffinati gli ascoltatori. Una specie di ammirevole scatola bella ma vuota. Una specie di piazza Chanoux. Tecnicamente ineccepibile, piacerà ai cultori del genere. Ma quelli come me, che amano il jazz da lontano, hanno in mente un film francese che si intitolava la *Storia del jazz* e a un certo punto compariva un vecchio negro, in bilico sulle gambe di dietro della sua sedia, piazzato sulla veranda in una casa da niente con una chitarra in mano e una faccia prosciugata come una prugna secca, e una voce idem, lì a cantare un vecchio blues, fino a che non lo interrompono e l'intervistatore gli chiede, ma scusi, cos'è veramente il jazz? E lui: il jazz è quando ti svegli al mattino e hai molta voglia di una cosa ma non hai i soldi per comprarla. A quel punto l'intervistatore deve avere fatto una strana faccia, perché il vecchio si spazientisce un po' e a mo' di chiarimento aggiunge, ad uso dell'intervistatore deficiente: il jazz è come quando la tua donna ti lascia, *you know*?

Retorica, si dirà. Sicuramente, però, da lontano quel che vedi del jazz, e che poi ami anche, è quella cosa lì. È che nessuno sa esattamente cosa vuol dire la parola jazz, però tutti ricordano vagamente che, quando è nata, era una parola da non dire in presenza di signore. Una parolaccia. Che parentela c'è con la musica smerigliata che porta in giro la voce, pazzesca, di Dee Dee?

Il jazz bianco del Dixie

Alla ricerca del jazz, parte seconda. Deluso da Aosta e da Dee Dee Bridgewater sono finito a Bologna, dove invece di piazza Chanoux c'è piazza Maggiore, ma sempre paesone è. Altra gente, questo bisogna dirlo. Con la ricchezza che gliela vedi, non c'è bisogno di andarla a cercare nei dati del Censis. Carambolano pellicce che è un piacere sotto i portici e davanti a vetrine che non sembrerebbero sapere molto della Crisi. Impazza il delirante rito del regalo natalizio, e qui non ha l'aria di essere un rito penitenziale. È domenica sera, ma i tuoi passi, in piazza, non li senti, non foss'altro perché c'è l'immarcescibile Beppe Maniglia che spara i suoi watt, con la moto, le casse, le cassette, i capelli lunghi, la faccia da fiondato di classe. Chissà quanti anni ha, Beppe Maniglia. E se ha una mamma. E cosa dice la mamma quando le chiedono Cosa fa suo figlio? E che regalo gli farà per Natale?

A Bologna ci son finito per non mancare The Fabulous Italian Dixieland Jubilee. Robe che solo a Bologna si possono inventare. Tutto è nato dalla Doctor Dixie Jazz Band, complesso mitico, in città, un po' per il fatto di essere composto esclusivamente da liberi professionisti, jazzisti a tempo perso, e un po' perché poi a furia di tempo perso la Band ha compiuto 40 anni: grande festa, con musicisti da tutta Italia. Successone. Così quest'anno, anche se 41 è un numero normale, hanno rifatto tutto, concertone, invitati, cortei per la città come a New Orleans, ecc. ecc. E l'hanno chiamato *Jubilee*. Per capirsi, bisogna specificare che Dixieland è il nome con cui di solito si definisce il jazz suonato dai bianchi, a partire dai primi anni venti, copiando gli stili musicali della New Orleans di inizio secolo (rigidamente nera). In due parole: jazz bianco. Che sarebbe un po' come dire zampone algerino. Una cosa, sulla carta, assurda. E che fosse assurda, i neri, al tempo, lo dicevano senza mezzi termini. Perfino uno come Bix Beiderbecke veniva digerito di malavoglia, nella certezza che Louis Armstrong, lui sì, suonasse il vero jazz. E Bix, soltanto qualcosa di simile. Quel che c'era di vero era che il jazz bianco era blues senza rabbia, ragtime senza bordelli, sincope senza miseria, e insomma jazz senza filosofia. Ciò faceva di quella musica la musica più cretina mai esistita, un caso quasi inimitabile, impareggiabile nel suo genere. Poche note di Dixieland e il mondo vi sembrerà poco più problematico di una pallina da tennis: e la vita una crociera: e la morte una balla colossale. Provare per credere.

In molti, domenica sera, sono andati a provare, al Palazzo dei congressi di Bologna, beccandosi quattro ore filate di Dixie, e uscendone, presumibilmente, completamente instupiditi, e dunque felici. Io per primo. Le Band venivano da Milano, Genova, Roma, perfino dal Ticino (non era vero Dixie, il loro, roba più raffinata). A me quella che è rimasta impressa è la Original No Smoking Jazz Band (già il nome è cretino il giusto). In prima fila, come da protocollo, gli ottoni. Il clarinettista sembrava sceso ieri dal Titanic, gesti a metà tra il maître d'hôtel e il giocatore di poker, grandissima classe; alla tromba quello che vent'anni fa non ne faceva passare una (di donna) e ancora adesso si coltiva i capelli ondulati bianchi da abbagliare e quando scala gli acuti piega le gambe e getta indietro la testa, tutto studiato, mai fallito una volta; al trombone il tipico suonatore di jazz, cioè uno che di solito ha la faccia e il fisico del tuo postino, poi sale lì sopra, prende lo strumento in mano e diventa improvvisamente un altro, Superman, un fenomeno, col suo trombone luccicante nella mano destra e nella sinistra la gomma di uno sturalavandino per spernacchiare il suono come di dovere. In seconda fila, pianoforte, banjo (il fratello stupido della chitarra, è quello che dà a qualsiasi band di Dixie quella sonorità da radio scassata anni cinquanta senza il quale non sarebbe Dixie), contrabbasso e batteria.

Il sonoro ve lo dovete immaginare, perché la musica la si può anche raccontare ma non quando è divertimento puro, e polvere di pensieri, e schiuma di note, e nulla sincopato. Approssimativamente era come sentire un blues sfuggito da una coltivazione di cotone, sbiancato dal Tide, mandato a un college dell'East, da lì espulso per uno scherzo un po' pesante alla preside, spedito a una scuola per dirigenti d'azienda, scappato anche da lì, finito a vendere hamburger in uno stadio di baseball, ma il venerdì sera si trova con gli amici e suonano in una cantina, bevuti fatti, e chissenefrega. Una cosa del genere. Ma un po' più bella.

Buon anno, Leopold

Ultimo Barnum dell'anno. In qualche modo bisognava pur festeggiare. E allora circo. Dedicato al genio che, non interpellato, ha regalato il suo nome a questa rubrica.

Previo necessario training psicologico (il circo, dopo le verdure lesse, è la cosa più triste del mondo) sono finito al circo più vicino, che si chiama Circo di Budapest. Il manifesto faceva vedere un cavallo al galoppo con una tigre sulla groppa, tutta denti e artigli. Un bell'effetto, roba che ti convince. Quando arrivi, lo capisci subito che non è un circo tutto ricchezze e splendori. Non è nemmeno di quelli con il leone spelacchiato, ma la Moira è un'altra cosa, qui declinano con una dignità splendida una specie di nobile indigenza. In certo senso, non c'è aura, non c'è leggenda, c'è business e basta.

Le maschere, all'ingresso, hanno cappottoni rossi fino ai piedi e un cappello col pennacchio, come nei libri illustrati di Pinocchio. Tanto per rinnovare l'effetto verdure lesse, aspettando l'inizio un violino gira tra il pubblico staccando melodie zigane che immalinconirebbero anche Gerry Scotti. Sale sul palco l'orchestrina: alle tastiere c'è uno che è sputato Gadda, il divino ingegnere: avrà sessant'anni, sta curvo sui tasti, chiuso in un mondo tutto suo, alza la testa due volte in tutto lo spettacolo, si guarda le mani con una sorta di intaccabile sconcerto. Probabilmente si sta chiedendo: ma sono mie? Si accendono le luci, un bravo presentatore piglia il microfono, corrono in pista dieci signorine in costumi tipici, e tutto inizia. Un rosario di umili meraviglie. Un orso bruno, quattro cani, uccelli di tutti i tipi, un pavone, un galletto, tutti insieme a sfoggiare numeri vari, come in una paradossale piccola arca di Noè. C'è anche uno struzzo, ma non fa nulla, evidentemente non sono riusciti a insegnargli niente, nemmeno a evitare le zampate dell'orso, che, appena gli arriva a tiro, gliene spedisce una neanche tanto amichevole. Sarà anni che se le prende, quello struzzo, due volte al giorno, tre la domenica e le feste. L'ammaestratore sembra Zenga tinto di biondo. Un quarto d'ora dopo te lo ritrovi appeso a testa in giù che tiene tra i denti la partner facendola volteggiare nell'aria come un frullatore. È il bello del circo: che la signorina con occhioni blu e sorriso timido che ti ha portato al posto, all'inizio, la rivedi in piedi su un cavallo a saltare la corda, poi a fare la spaccata con una gamba in bocca a un elefante, e nell'intervallo è quella che scatta le foto ai bambini in braccio al clown o sulla proboscide del pachiderma. Sempre lei.

Il clown si chiama Domino, e bisogna dire che la gente, a guardarlo, si sfascia dal ridere. Le tigri sono dieci, e bellissime, fanno cose tipo nuoto sincronizzato, ma a una lentezza felina, e con l'aria di chi non ha ancora capito come si possa pagare per vedere quella roba lì. Il domatore ha una tutina granata che chiede vendetta e un'aria da benzinaio mite. Magari il suo sogno era fare il ferroviere. Va' a sapere. C'è una famiglia di saltimbanchi che sembrano fatti di gomma, e invece sono muscoli e coraggio, c'è un giocoliere che gli cadono i birilli ma non importa, ci sono due gemelli, baffi biondi e fisici da culturisti, che formano gruppi laocoontici senza mai smettere di sorridere, ci sono le foche sapienti che stanno in equilibrio su una pinna, giocano a palla e cantano (oh, yes), c'è l'elefante che balla il rock con un paio di signorine appese addosso, e c'è il batterista dell'orchestrina che guarda negli occhi gli animali per capire il ritmo esatto della loro acrobazia, e per accompagnarla con l'effetto di prammatica (rullata e bum della grancassa quando l'acrobazia funziona): ed è uno sguardo che neanche Proust sarebbe riuscito a descrivere. Poi, a un certo punto arriva la cosiddetta "cavalleria ungherese". Sei cavalli neri, identici, che si scatenano in figure varie, facendo un certo casino, ma comunque, alla fine le geometrie tornano. Sono anche belli, quei sei, ma il vero spettacolo, te ne accorgi subito, è un altro. È Leopold. L'ammaestratore. Anziano, vestito in bianco, tutto bianco, anche le scarpe. Fa pochi gesti, appena accennati. Ogni tanto getta qualche occhiata distratta sui cavalli, ma per lo più se ne resta con gli occhi inchiodati in un punto davanti a sé. Mi giro. Dove lui guarda non c'è niente: gradinate vuote. Ha una stanchezza dentro, Leopold, e una maestà che nemmeno l'Horowitz degli ultimi concerti aveva. Ogni tanto sorride, ma è come una risata partita anni fa dall'Ungheria, a piedi, e arrivata lì sfinita. E infinitamente saggia. Chissà chi c'era, in quel posto che lui fissa ostinatamente, in penultima fila, chissà chi c'era che adesso non c'è più.

Venerdì gran spettacolo di fine anno, con artisti ospiti e attrazioni a sorpresa, dice il presentatore mentre sventolano bandiere ungheresi. Auguri, Leopold.

"Le mitraglie cominciano a batter a macchina la Storia. I cecchini dalle mura fan partire una raffica qua e là, pigliandoci di mira. La guerra è un catalogo di suoni, di rumori. Sono le orecchie a guidare i nostri piedi. Un proiettile si schianta contro il muro. Qualcuno attacca a cantare: *Mickey... Mouse.*" Cinque righe seminate in una pagina qualunque di *Born to kill*, romanzo di *marines* e Vietnam, scritto da Gustav Hasford. Kubrick ne fece un film: *Full Metal Jacket*. E poiché è un genio, prese quelle cinque righe e ne fece il finale del suo film. In mezzo a un inferno di rovine e cadaveri, se ne tornano i *marines* sopravvissuti a una giornata di oscena atrocità, con la morte dappertutto, addosso. Camminano, e cantano: *Mickey Mouse, Mickey Mouse...* Musichetta inconfondibile: *Topolin, Topolin, viva Topolin...* Per chiunque, odore immediato di televisione accesa su anni adolescenti in cui il mondo era pulito e basta. Tutto il resto doveva ancora venire. Vietnam veri o domestici: alla fine è quasi lo stesso.

Se ce n'era bisogno, quei due minuti di grande cinema fermano per sempre il mito di Mickey Mouse e di Walt Disney, un topo e un uomo dopo i quali il Novecento non è stato più lo stesso (bum). Un mito che in Italia compie, quest'anno, 60 anni. Candeline e festeggiamenti. Soprattutto: immancabile mostra: fino al 15 febbraio a Roma, e poi in tournée a Firenze e Milano. A Roma l'hanno sistemata nel Palazzo dell'Eur, e quando ci entri pensi subito che al vecchio Walt non sarebbe piaciuto un granché, troppo imperiale, a lui piacevano le cose grandi ma leggere, roba che potevi tener su con la fantasia. Entri ed è subito *Aladino*, con la sua canzonetta da Oscar, e la *Sirenetta*, e *La Bella e la Bestia*, Gino Paoli e la figlia Amanda (come fa un poeta a scegliere un nome così?), insomma sei nel magico mondo di Disney. Con le orecchie: perché con gli occhi è un po' più complicato. Nel senso che è una mostra normale, non la piccola Disneyland che ti aspetti. Per capirsi: quando vai a Disneyland, passi un cancelletto e da lì in poi sei un cartone animato, non c'è più il mondo, c'è solo quell'imbecille genialità di un pianeta inventato. Non c'è particolare che sfugga all'incantesimo: se mangi un hot dog dentro c'è Paperino e se fai pipì, la fai a Topolinia. E quando esci parli con la nuvoletta sulla testa, aspettando che qualcuno ti legga. Cose così. Lì invece è una mostra seria, con le bacheche, le teche di vetro, i quadri con la didascalia, e l'architettura dell'Eur ad annegare la magia. Quando ti sei definitivamente rassegnato all'idea che è una cosa seria, hai già finito il giro. Insomma, per i disneyani convinti è un po' una delusione.

Qualcosa comunque c'è, da raccogliere e portarsi a casa, a concimare il mito. Ho visto ad esempio, finalmente, la faccia dei due che hanno scritto *Impara a fischiettar* (*Biancaneve e i sette nani*, per gli incolti): Franck Churchill, seduto al piano, una gobba niente male, magrissimo, e Larry Morey, stravaccato in una sedia coi piedi sul tavolo e un foglio di musica in mano. Ho rivisto la copertina, tutta d'oro, del "Topolino" n. 500, 27 giugno 1965, una specie di *madeleine* proustiana per quelli della mia generazione, io l'odore di quel "Topolino" ce l'ho ancora nel naso adesso. Ho visto il biglietto da visita di Walt Disney quando non era nessuno e teneva lo studio in un garage di Kansas City. Ho visto le copertine dei giornali che annunciavano la sua morte, qualche giorno prima di Natale (geniale): con Topolino in lacrime sotto l'albero. Ho rivisto le tavole di Romano Scarpa, forse il miglior disegnatore italiano di Topolino, l'inventore di Brigitta, di Filo Sganga, della signora Gambadilegno (Trudy): faceva un Paperino irresistibile, un po' svasato sulla nuca, con qualcosa di bambinesco addosso, e una specie di continua meraviglia negli occhi, e un'aura commovente di sconfitta programmata e totale. Da ritagliare e attaccarselo sulla scrivania, vicino alle Madonne del Bellini.

E poi ho visto lui, Walt. Le sue foto. Quella faccia. La guardo da anni, per cercare di capire, ma è una faccia che scappa. Da giovane sembrava un concessionario della Chrysler, magari anche onesto, ma soprattutto furbo. Troppo per dartela a bere. In un certo senso la vera faccia di Walt Disney gli venne negli ultimi anni: ingrassato, capelli e baffi bianchi, sorriso allenato a sorridere, la tranquillità dell'uomo che ce l'ha fatta. Uno zio bonario che ti fa i giochi di prestigio con una moneta da cento lire, e sa di acqua di colonia, e in tasca ha sempre un cioccolatino che ti allunga quando la mamma non guarda. Uno capace di raccontarti che di là dal mare ha costruito una città che ha il suo nome e dentro c'è il castello di Cenerentola e il Far West e Paperopoli e la bottega di Geppetto e la miniera dei sette nani. Come fai a dire a uno così che non ci credi?

Le Nozze di Susanna

Due miliardi e mezzo per portare nel Teatro di Ferrara quattro rappresentazioni delle *Nozze di Figaro*. Non sono notizie che, di questi tempi, possano passar lisce. Abbado sul podio, una complicata scenografia girevole nata per il palcoscenico dell'Opera di Vienna e dunque da aggiustare, l'Orchestra giovanile europea, un cast ottimo. Due miliardi e mezzo. Quattro recite. Va da sé che a qualcuno sono saltati i nervi. E si è acceso il dibattito: che in questi casi è un agglomerato di smarrite banalità che rimbalzano tra le sponde di due dati economici, universalmente considerati come illuminanti: lo stipendio di Baggio e quello di un cassintegrato Fiat. Dato che, in fondo, discutere di soldi e cultura è come moltiplicare mele con pere, non c'è una vera soluzione al problema. Bisogna rassegnarsi. Tutt'al più, pragmaticamente, uno si può chiedere se sia poi così inevitabile spendere, per avere quel prodotto, tutti quei soldi. Ma se si dimostrasse che effettivamente non c'era modo di risparmiare proprio nulla, il resto è definitivamente opinabile: se sia giusto pagare certe cifre per avere certi spettacoli è domanda, secondo me, senza risposta.

Comunque, a Ferrara, alla fine hanno scelto la via morbida. Si sono digeriti il tutto con nobile aplomb. Due giorni dopo, però, leggo i giornali e scopro che, chi non ha digerito, sono i critici: tutti a storcere il naso, a dire sì certo però, e poi a Vienna era un'altra cosa, e poi tutte quelle gag da avanspettacolo, e poi la Contessa che fa ridere, si è mai visto?, e Raimondi non è più lui, e le *Nozze* sono un'altra cosa. Strano. Evidentemente c'era qualcosa, lì, da andare a vedere.

Ci sono andato. E ho visto un'opera strana, che non mi aspettavo. E bellissima. Titolo: *Le nozze di Susanna*, perché Susanna (la fidanzata di Figaro) è dappertutto e sempre, decollata a protagonista assoluta grazie a una interprete eccezionale (Sylvia McNair), una di quelle che prima recitano poi cantano (bene), e recitano anche quando non cantano. Anche la storia era diversa da come me la ricordavo, da come mi hanno insegnato a ricordarmela. Era più semplice. Ci sono due servi che vogliono sposarsi: lei è bellissima, decisamente sexy e astuta il giusto. Lui è un bravo ragazzo, uno che non si aspetta che la vita sia così complicata. Poi ci sono i padroni: un Conte che con la testa ha deciso di essere un nobile illuminato e progressista, ma con il resto del corpo gradirebbe rimanere un uomo con tutti i suoi desideri, primo fra i quali quello, sacrosanto, di finire orizzontale con Susanna. E poi la Contessa, che con la testa vorrebbe essere una Contessa nobile e al di sopra delle parti, ma con tutto il resto del corpo vorrebbe essere una donna con tutti i suoi desideri, primo fra i quali quello di farsi amare dal marito, vista la fatica che ha fatto, nel *Barbiere di Siviglia*, a sposarselo. Poi c'è anche un ragazzino che mette in circolo un bel po' di desiderio sessuale, così, tanto per oliar la macchina, e qualche personaggio di contorno buono a complicare le cose e quindi a rendere più piacevole il momento in cui si risolvono. Tafferugli, equivoci, travestimenti. Alla fine le donne si alleano e vincono, recuperando i loro uomini. Scopo di tutto ciò: ridere su una tragedia quotidiana: la struttura sostanzialmente contraddittoria, non armonica dei desideri. Fine. Stop. Tutto lì.

Col tempo, le *Nozze* sono diventate molto più di questo. Man mano che si è metabolizzata la grandezza della musica mozartiana, sono diventate un monumento in cui si tramanda una certa idea di trascendenza, tutta una civiltà erotica, un paio di ipotesi filosofiche e un meraviglioso presentimento di sacralità. Una commedia che racconta la terra e il cielo, simultaneamente. Niente di meno. Un'enormità. Ed è tutto vero: le *Nozze* sono effettivamente quell'enormità. Però: se quell'essere più di quanto sembrano viene portato di forza in scena, e messo su un piatto d'argento, e spiegato, e reso esplicito, qualcosa si rompe, in tutta quella magia. E diventa rito, celebrazione, liturgia.

Mentre ero lì, a ridacchiare delle gag continue (quelle di sempre, ma cosa vuol dire?), a rivedere sotto i panni della Contessa la giovane e irresistibile Rosina, e a godermi uno spettacolo riportato giù dal cielo e trasformato dal regista (Jonathan Miller) in una farsa e basta – mentre ero lì ho avuto la sorprendente impressione che quello fosse, oggi, il modo più giusto di fare le *Nozze*. Perché noi ormai lo sappiamo, che le *Nozze* non sono una semplice abbuffata di divertimento: quello di cui abbiamo bisogno è che qualcuno ce lo faccia dimenticare così da riprovare il piacere irresistibile di riscoprirlo, d'improvviso, quando alle spalle ci sorprendono certe folate di musica che assurdamente sanno di cielo, e di trascendenza, e di mistero. Se tutto è rito, il miracolo è normale. Se tutto è farsa, umorismo e raffinata stupidità, il miracolo è una lama che ti ferisce alle spalle, e lascia il segno. Il cielo in terra: questa è la prodezza. La terra in cielo: quella è liturgia, non salva più nessuno.

Il West, quello vero e quello falso

Una volta era più semplice: il West era a Occidente. Sempre dritto di là. Quando finiva la strada, quella era la Frontiera. E tu eri arrivato. Così se uno ti diceva "Go West, young man, go West", sapevi benissimo da che parte andare. Adesso è diverso. Adesso che il West non è più un luogo geografico ma un'iperbole della fantasia, il West è ovunque e da nessuna parte. Bisogna andarselo a cercare nei posti più strani, oppure ti arriva lui addosso a tradimento, come una diligenza contromano. Per dire: a me è cascato addosso in un posto insospettabile, via Nazionale, a Roma, via tra le più brutte della capitale, sia detto per inciso, dove tra l'altro c'è un palazzone abbastanza agghiacciante che si chiama Palazzo delle Esposizioni, e lì, c'è il West. Veramente. Il titolo della mostra dice: *The American West, l'arte della frontiera americana 1830-1920*. Dodicimila, per entrare. Meno di dieci dollari, per capirsi.

Dentro, grandi pareti bianche e piccoli quadri con le cornici d'oro. E dentro le cornici, come bastimenti in bottiglia, spezzoni di West. Strani, però. L'arte è micidiale quando si tratta di annacquarti le favole. Paesaggi, cowboy, carovane, indiani, c'è più o meno tutto: ma quelli dipingevano, nel senso che facevano arte, e allora viene fuori l'Accademia, e il viaggio in Italia a vedere Raffaello e Caravaggio, e l'iconografia sacra, e i sublimi modelli... William Smith Jewett ritrae una bella famiglia di coloni, lui lei il bambino: si chiamano Grayson, ma in realtà sono la Sacra Famiglia travestita per carnevale da pionieri. George de Forest Brush dipinge una bellissima scena di caccia all'alce: sono indiani, quelli, ed è una piroga, quella, ed è un alce quello che cerca di scappare nell'acqua: ma la scena l'hai già vista, cento santi hanno già ucciso cento draghi in quel modo, e all'uomo in piedi sulla piroga, con la lancia in mano, manca solo l'aureola e una croce da qualche parte. Insomma è il West, in superficie: ma raschi un po' di colore e trovi la vecchia Europa, il vecchio mondo, la vecchia frontiera. Perfino i capi indiani dipinti dal mitico George Catlin hanno una fissità che non è loro. Viene da un'altra parte di terra. Sono icone bizantine, quelle.

Poi, passi un po' di sale e arrivi davanti alle fotografie. E lì la cosa cambia. Perché, al tempo, la fotografia non aveva ancora avuto il tempo materiale di immaginarsi arte. Scattavano e basta. Puzza di West, finalmente. Le foto più commoventi sono quelle che facevano in studio, a Washington, durante i periodici summit in cui i capi indiani andavano a firmare trattati destinati a diventare carta straccia. Li mettevano in fila, seduti, a guardare immobili l'obiettivo. Ce n'era sempre uno che per l'occasione si era vestito da bianco, giacca pantaloni scarpe col tacco e penne in testa, un mix tragicomico di orgoglio e disfatta. Non uno che sorrida. Non usava, allora. E comunque c'era effettivamente poco da sorridere. Seduti, di tre quarti, con una roccia di cartapesta di fianco e un po' di muschio a far scena, c'è anche Nuvola Rossa, il grande. Una sola penna sul capo, faccia di pietra dominata da un naso enorme, occhi e bocca chiusi in un mutismo espressivo totale, spettacoloso. Sembra completamente marmorizzato da un unico, feroce, desiderio: non farsi rubare i pensieri e l'anima da quella macchina infernale che ti ruba la faccia. Se era quello, che voleva, ci è riuscito: filtra il nulla assoluto, da quella foto.

Le più penose, comunque, sono le foto che vedi per ultime. Scolaresche di ragazzi indiani, ripuliti, passati dal barbiere, messi in divisa e iscritti alla Indian Training School. Peggio che il circo e le verdure lesse. Una tristezza gigante. La didascalia dice che erano Navajos (quelli di Tex). Inchiodati a studiare geometria e buone maniere. Mi han fatto venire in mente Timothy H. O'Sullivan. Era un fotografo, uno dei primi a spingersi nel West e a fotografare gli indiani. Lo fece fino a che, un giorno, un indiano a cui aveva scattato una foto, semplicemente, l'uccise. Non so nient'altro di quella storia. Solo che l'indiano si mise bene in posa, lui scattò, dopo di che l'indiano l'uccise. Non so precisamente quale, ma ci dev'essere una morale, in questa microstoria.

Alla fine del giro, è chiaro, il gusto per il West ti si è un po' ammosciato dentro, c'è niente da fare, un po' di nausea ti è venuta. Così, per rinfocolare la favola mi sono chiuso nella sala cinematografica attigua dove, lì sì, è tutto come una volta, gli indiani sporchi e cattivi, i bianchi puliti e buoni, il West un sogno da difendere, la frontiera una terra libera, il futuro a portata di Colt. Sullo schermo *Rio Bravo* bianco e nero, versione originale, 1950. Film bruttino di un grande: "Mi chiamo John Ford, faccio western". Lui è John Wayne, lei un incrocio tra la Mangano e Bo Derek. Storie di amori, reggimenti, cavalleria, indiani avvinazzati e prateria. Manca solo Rintintin. Tutto falso, completamente, anche i baci. Ma non gliene importa niente a nessuno.

Giulietta e il suo Romeo

Teatranti. Dice l'opuscolo che sono nati in Cornovaglia agli inizi degli anni ottanta. E che adesso una specie di sede ce l'hanno (in Francia), ma quel che fanno è girovagare in continuazione, spinti da un'idea tutta loro di teatro e da un nome che non lascia margini di scelta: Footsbarn Travelling Theatre. Si portano dietro tutto, scene, costumi, bambini, e a vedere i tecnici che vagolano per la sala (tardo punk con varianti folk, capelli verdi, Reebok alte d'argento, giubbotti neri e stazze micidiali) devono essere una specie di tribù nomade, piuttosto pittoresca: pensa trovarteli in coda, all'autogrill. Quel che hanno in mente è il teatro di strada, di piazza, di paese: che di fatto è un'astrazione commovente, in un mondo in cui strade piazze e paesi, in quel senso là, non esistono più. Io li ho visti condannati a un teatrino di schietta bruttezza nascosto tra le pieghe dell'agghiacciante periferia milanese. Come animali in gabbia. Gabbia grigia e sbarre desolanti.

Loro, però, devono essere vaccinati a tutto. E, spente le luci in sala, se la fanno da sé la piazza, e il paese, e tutto il resto, trasportando di forza tutti quanti in un loro mondo di rudimentali meraviglie. Un po' circo, un po' clown, un po' fiera di paese. E in quell'atmosfera che sa di mercato e fienili e galline, la scatola magica del teatro di Shakespeare: *Romeo e Giulietta*. *For never was a story of more woe / Than this of Juliet and her Romeo*, ultimi due versi, *Perché non ci fu mai storia dolorosa / come quella di Giulietta e del suo Romeo*, con la perla di quel *suo* Romeo, infantile paroletta da niente che non era necessaria però c'è, e sembra una macchiolina caduta sul foglio bianco a tradire la commozione di chi teneva la penna in mano, in quel momento, e chissà che magone dentro.

È una storia così bella, quella, che perfino a Zeffirelli, quando ne ha fatto un film, gli è venuto un bel film (a suo modo). C'è da chiedersi se ci sia un modo di raccontarla che possa rovinarla. Quelli del Footsbarn la spogliano di quasi tutti i riverberi linguistici e retorici del testo originale, che è come toglierle i vestiti di gala e farla correre in braghe rammendate e scarpe di stracci. Ovvio che si scivoli spesso e volentieri nella commedia: il frate scoreggione, la nutrice che sembra un cartone animato, Mercuzio che scherza col pubblico, Pietro (il servo della nutrice) che è sputato Ciccio (quello della fattoria di Nonna Papera), e così via. La tragedia, lei, guata da dietro le persiane e dietro gli spigoli, come un'ospite indesiderata ma inevitabile: come un castigo da rinviare più possibile. Quando esplode, non a caso, l'allegra furia semplificatrice che setaccia il testo decolla verso il sublime: han fatto che cancellare tutto, quelli del Footsbarn: avviene tutto in assoluto silenzio, là sotto, nella tomba di Giulietta, la morte di Paride, il suicidio di Romeo, il risveglio di Giulietta, la sua seconda amorosa morte, i Capuleti che arrivano, i Montecchi che piangono, il principe impotente: tutto senza una parola. Addio giochi linguistici (*Vieni Montecchi, ti sei alzato in tempo per veder tuo figlio coricarsi anzi tempo*), a Shakespeare hanno tolto la parola, cortesemente invitato a risparmiarci le sue prove di bravura, quel che accade basta vederlo, lasciaci straziare in pace. I puristi non gradiranno: ma intanto è teatro, infallibile scheggia di teatro.

Nella memoria, alla fine, rimane quella bolla di silenzio liturgico, ma anche una collezione di mosse sceniche che mentre tingono di popolare il tutto regalano qualche slittamento significativo. Ad esempio: Giulietta ha quattordici anni davvero, come volle Shakespeare, è proprio una bambina, e dell'amore sa per sentito dire; e un ragazzino è Romeo, un po' spaccone, un po' impaurito, mille miglia al di qua di un erotismo da grandi. Ci sono loro due da una parte e il mondo degli adulti dall'altra, con i personaggi da cartone animato (la Nutrice e Frate Lorenzo) a fare da spola per cercare di tenere insieme quei due universi, e più fanno più incasinano, fino al pasticciaccio finale, capolavoro di sfortuna. Sembra una semplice chiarificazione anagrafica, ma è qualcosa di più. Cambia le cose. Più che la faida tra Capuleti e Montecchi (descritti come due tribù vagamente orientali, un odio primitivo, una rissa da suk, non la raffinata sfida di due casate), quel che disegna lo spartiacque di felicità e realtà è la linea d'ombra che fa da soglia tra mondo dell'infanzia e inferno gelido della maturità. Così rimangono, Giulietta e il "suo" Romeo, a ricordare che è solo nel momento aurorale di un'esperienza che, sotto la clausola dell'impotenza, è dato di provare esperienza. E che vero è l'amore quando non sai cos'è. E facile la morte, se hai vissuto solo un istante.

Tennis, che metafora

Al Forum di Assago, a spiare i professionisti del tennis. Torneo Muratti Time, strano sponsor, sigarette per uno sport: come in America, che non puoi fumare nemmeno allo stadio (70.000 posti all'aperto) e poi le sigarette le trovi in farmacia. *Come in America* è anche la frase che ti viene in mente girando per il Forum, grandiosa cattedrale nel nulla, dove c'è tutto. Ti perdi a sinistra e finisci in un patinoire, ti perdi in basso e trovi una palestra da volley, ti riperdi a destra e finisci in una specie di Alcatraz per yuppies: come un secondino passeggi lungo una balconata e se ti sporgi vedi dall'alto, tutte in fila, le celle di agonizzanti giocatori di squash: paonazzi, martellano con una palletta sgonfia una parete che, immagino, simbolizzi per loro la mamma, il commercialista, il direttore generale, l'indice Mib, il comunismo. In mano hanno una racchettina stitica che ricorda qualcosa: ci pensi e da un passato remoto riemerge una parola, un nome, un ricordo: l'avevi dimenticato e adesso ritorna, lui, il gioco più idiota della storia dei giochi: vecchio, imbecille volano. Dove sei finito, vecchio imbecille volano?

Comunque. Al tennis vero ci arrivi seguendo, come briciole di pane, le gnocche dello sponsor, in bilico sui tacchi, seminate come statue a dettarti il cammino. E alla fine lo trovi, il tennis vero, macchina geometrica e filosofica, saggio sul caso e sull'umano destino, trattato ambulante di psichiatria e teologia. I due copisti che ne stanno tramandando il mito si chiamano, in quel momento, Ivanisevic e Korda, nomi da romanzo. Praticano un gioco un po' particolare, variante futurista del tennis vero: due ore di gioco, una sola smorzata, il resto è un tiro incrociato di proiettili radenti, palline che ti scheggiano lo sguardo, una perfetta imitazione di un videogame. Ivanisevic, fisico lungagnone, aria indolente da ripetente, è uno che quando serve spara la pallina a 197 chilometri orari (Roma-Milano due ore e quaranta, da casello a casello). Dall'altra parte, se ci fosse un umano standard, avrebbe il tempo per scansarsi: invece c'è Korda, che non si scansa ma vede la pallina, la trova con la racchetta, decide dove spedirla, lo fa, e il tutto piegato su due gambe di elastico che lo fanno sembrare un grillo pazzo e biondo. Più che veri e propri scambi sono rapide crisi epilettiche, raptus nervosi magicamente coordinati. Quando ne escono, i due entrano in una specie di narcosi annoiata, in cui galleggiano con movimenti lenti e nichilisti, deambulando lungo la linea di fondo come se stessero aspettando l'autobus. Devono averci un sistema nervoso di gomma, quelli. Ammesso che ce l'abbiano ancora.

Il tennis vero lo rivedo quando entrano in campo Becker e Pioline, due che, senza essere proprio degli artisti, la pallina però la sanno anche accarezzare, sfiorare, stoppare, sedurre, intrattenere, scherzare: non solo spararla. Lì, allora, il tennis torna ad essere metafora esatta e divulgativa degli umani destini. Capace di offrire epistemologiche illuminazioni. Come, ad esempio, quando sulla testa di Becker piove una palla morta e innocua come una spugna insaponata, e lui mette insieme i suoi ottanta chili di potenza, le migliaia di ore spese a ripetere quello stesso gesto, la giovinezza buttata via a fare titic e titac contro un muro, i miliardi guadagnati a farlo davanti alla gente, le centinaia di partite perse e vinte, i mille istanti come quello già vissuti, sempre uguali, e tutto carica su quella racchetta che fa roteare dietro la schiena e poi alza sulla testa fino a impattare perfettamente quella pallina gialla, nel gesto più facile di tutto il tennis, uno smash da bambini, che lui fa a regola d'arte, colpendo la palla e spedendola, contro ogni logica, contro qualsiasi senso storico, contro le più elementari leggi del buon senso, *in rete*. È lì che capisci. È in quella pallina che affoga nella rete come un mandarino nel calzino della befana, che capisci. E ti appare chiarissimo, tutto in un istante, che non c'è salvezza, non c'è difesa contro l'errore, e sempre sarà così, che continuerai a dire la frase sbagliata nel momento sbagliato, e a non fare l'unica cosa che sai dovresti fare, e a cadere nelle trappole che hai imparato a memoria, e ad aver paura sempre della stessa cosa, in eterno, e a non capire quello che mille volte ti sei spiegato, e a far del male anche se già lo sai che lo farai. Non c'è niente da fare. Se sbaglia Becker quella palla idiota, perché mai uno non dovrebbe sbagliare gli smash della vita? Puoi spendere anni a vivere, ore a leggere libri, milioni a farti allenare dallo psicanalista: ma alla fine la palla è in rete che finisce. L'errore annulla qualsiasi passato nell'istante in cui arriva a bruciarti qualsiasi futuro. L'errore azzera il tempo, qualsiasi tempo.

Vedi cosa riesce a spiegarti, il tennis, senza dar nell'occhio: che quando sbagli – nel preciso istante in cui lo fai – sei eterno.

Posillipo contro Volturno

C'era Galassia Gutenberg, a Napoli: la risposta del Sud al Salone del Libro di Torino, come dicono i giornali. Rispetto alla Fiera nordista c'è meno aria di soldi, meno aura internazionale: sarà l'aria di Napoli, ma quando sei lì non suonano come difetti. Degli editori, alcuni si sono tirati indietro. Manca Feltrinelli, ed è imperdonabile. La Rizzoli ci ha mandato le grandi opere (enciclopedie & C.) e i libri per bambini: come mettere in campo una squadra di vecchie glorie e ragazzini. Mah. Gente, tanta: e in mezzo alla gente qualche faccia eccellente. Quella di Napolitano, il comunista dal volto umano, quella di Curcio, il comunista dal volto triste. Io non l'avevo mai visto, dal vero intendo: ed è una cosa strana perché in un volto solo devi mettere dentro il nemico feroce che ti avevano insegnato a odiare in quegli anni e l'uomo di oggi che scrive poesie e va a fare lezioni all'Università. Sarà banale, ma l'unica cosa che viene in mente sono le foto dei capi indiani sopravvissuti alla loro sconfitta. In abiti borghesi, davanti a una casa qualunque, in una riserva qualunque. Stanchi, rapaci uccelli.

C'era Galassia Gutenberg, a Napoli. Però se uscivi dalla Fiera d'Oltremare e giravi per viale Kennedy, e superavi il locale tempio del divertimento (Edenlandia, pensa te) alla fine arrivavi alla Piscina Scandone dove alle *cinco de la tarde* era annunciato il duello dell'anno, la resa dei conti di una pacifica faida regionale, la madre di tutte le partite: pallanuoto, Posillipo contro Volturno, Napoli contro Caserta, il derby campano, con le due squadre in cima alla classifica e un pezzo di scudetto a portata di mano. Squadre infarcite di nazionali e campioni. Da non perdere, dice "il Mattino".

La pallanuoto è uno sport buffo. In un certo senso è la puntuale metafora del tanto lodato libero mercato (cfr. *Forza Italia*): in superficie vedi belle geometrie, plastici movimenti, meravigliose prodezze balistiche. Sotto, dove non vedi, è la rissa: colpi bassi, canagliate di ogni tipo, virili fetenzie. Ci sono anche due arbitri, ai bordi della piscina, che non so come vedono anche là sotto e fischiano falli a decine, dando al gioco uno strano ritmo asmatico: respiri boccate di sport, tra un fallo e l'altro, al ritmo sincopato di quei fischietti. In acqua, uomini come foche, calottina in testa con paraorecchi giganti come cuffie stereo, mani come badili provvisti di ventose, appiccicate a quel pallone giallo. Li vedi e pensi: ci vuole un fisico bestiale. Il climax atletico-estetico si raggiunge in quello strano rito finale che è il punto d'arrivo di tutto quel gran faticare geometrico e collettivo: quando, alla fine, uno si decide e tira. L'attaccante contro il portiere. Tutt'e due fuori dall'acqua fino al costume, tenuti su da qualche misteriosa pinna accessoria, l'uno a pendolare il pallone sulla testa di una finta ripetuta e sfinente, l'altro spalancato tra i pali come un crocefisso, entrambi frullati dolcemente dallo sforzo con cui, per un tempo che sembra lunghissimo, prendono per i fondelli la forza di gravità. Oscillano e si guardano. Se fosse *Quark*, sembrerebbe una di quelle danze preliminari con cui gli animali si corteggiano prima di darsi al sesso. Ma è pallanuoto. Non è amore: è odio.

Sugli spalti, impazzano gli ultras del Posillipo che, per ragioni tutte da capire, hanno un'età media di dodici anni. Il più vecchio ne avrà sedici. Dev'essere una specie di apprendistato per finire poi al San Paolo. Si diplomano lì e poi vanno a esercitare nello stadio del calcio. Ululano tutti, comunque, i quattromila presenti, giocando con l'acustica rimbombante della piscina e dedicandosi senza risparmio allo smantellamento psicologico dei due poveri arbitri. In acqua, le due squadre si scambiano due fucilate a freddo, in meno di un minuto, poi il Volturno decolla e per Posillipo inizia la rincorsa. Abbondano i fuoriclasse, sotto le anonime calottine, ma la faccia e i gesti atletici che poi ti rimangono in testa sono quelli di Estiarte, occhi da gaucho triste, da *grimpeur* astuto. Partono da lui tutti i palloni, gli ruota intorno la squadra (il Volturno) e sembra una piovra dove lui è la testa, gli altri i tentacoli. Quando batte i rigori, neanche guarda la porta. Tiene gli occhi fissi sull'arbitro, e quando quello fischia tira senza quasi girare la testa: è evidente che per lui il portiere è un accessorio inutile.

Forse anche per questo vezzo, un rigore lo sbaglia, a un soffio dalla fine, spiaccicando l'anguria gialla sulla traversa. Il Posillipo è sotto di due gol, ha mezza squadra fuori per falli, una manciata di secondi per recuperare e quattromila persone che strillano come quelli del salone delle feste nell'*Inferno di cristallo*. Per cui ci prova. Lima un altro gol. Si trova il pareggio lì, a un passo. Poi uno dei due arbitri, maledicendo il proprio mestiere e mettendo su una faccia da tacchino a Pasqua, fischia e spedisce fuori Porzio, bandiera del Posillipo ("ma sta un po' ingrassato" mi comunica il vicino). Il resto è totale, festivo e liberatorio finimondo. Con golletto beffa del Volturno, 15 a 13, alla fine. E arbitro in fuga sotto una pioggia di sacramenti e bottiglie d'acqua minerale.

Michael Nyman live

Michael Nyman ha degli occhialetti rotondi, di tartaruga. Ha un'aria da matto controllato, uno di quelli tutti a posto ma con le tasche piene di pistole ad acqua, carillon e petardi. Michael Nyman è quello che ha inventato il termine *minimalismo*, l'ha fatto nel '68, quando faceva il critico e basta: si è svegliato, un giorno, e quello era il giorno in cui avrebbe inventato la parola minimalismo. Mica male. Michael Nyman è quello che ha scritto le musiche di *Lezioni di piano*, film perfetto, cast, sceneggiatura, soggetto, tempi, perfino il finale, tutto perfetto, compresa la scelta delle musiche, e quelle musiche le aveva scritte lui. Michael Nyman adesso è un compositore ricco e poco famoso, perché le dieci colonne sonore scritte per altrettanti film di Greenaway gli avevano fruttato quel successo incompiuto che è l'adorazione di una minoranza messa a galleggiare nell'indifferenza di tutto il resto del mondo. Adesso lo gira, il mondo, suonando la sua musica insieme a una band, riempiendo i teatri e raccogliendo trionfi che uno Sciarrino (per dire) si sogna la notte. Che musica sia è difficile dirlo, perché un vero nome non ce l'ha ancora: colta, contemporanea, da film, minimalista, postmoderna? Non si sa. Bisogna aspettare che qualcuno, da qualche parte, si svegli, un giorno, e quello sarà il giorno in cui ne inventerà il nome.

Di trionfo in trionfo Nyman è arrivato in Italia, e specificamente nell'Auditorium di Santa Cecilia a Roma, piazzato in cartellone tra Samuel Ramey e Barbara Hendricks, a conferma che gli steccati, nella musica, stanno franando, silenziosamente, ma inesorabilmente.

Teatro pieno, con tante facce che non erano facce da abbonato, e molti anfibi ai piedi, e molti occhialetti rotondi di tartaruga, e i giovani, e quello con la papalina come Salvatores, e le ragazze *grunge*, e i patiti di Greenaway (geniali intelligenze da ricovero) e gente anche più normale. In quella stessa sala, domenica prossima, arriverà Sinopoli a staccare niente di meno che un *Parsifal* in forma di concerto, rito solenne e totemico, monumentale iperbole di note. Il carillon di Nyman, l'orgia sonora di Wagner. Vedi il silenzio che grembo clemente che è: custodia di qualsiasi cosa, su misura per tutto.

La prima suite che esegue, Nyman, è quella da *I misteri dei giardini di Compton House*. Musica che viene da Purcell, fa un giro per la modernità e poi torna a casa: un po' stravolta, si capisce. Bello soddisfatto, seduto al piano, spalle alla platea, Nyman dirige con gesti da supplente di solfeggio, si coccola con lo sguardo i suoi orchestrali, e ogni tanto ridacchia. Si diverte, evidentemente, o è il pensiero che gli corre al conto in banca, non è chiaro. Certo la faccia è quella di uno che non se l'aspettava: uno che faceva il suo lavoro, senza farsi troppe domande, scrivendo quello che gli piaceva: e alla fine si è trovato lì. Non piaceva solo a lui, quella musica, ha scoperto.

Piace, bisogna dirlo, perché è semplice, maledettamente semplice, arrogantemente semplice: e però non scema. È una specie di lusso a basso costo. Intelligenza in saldo. Genialità in remainder. La ricetta è abbastanza chiara: minimalismo, ripetitività, reminiscenze romantiche, certi intervalli fascinosi da musica folk, refoli di jazz, giri armonici inesorabili come quelli del rock, il caro vecchio *Ostinato* che viene su dal Barocco, ritmica vivaldiana. Secoli di storia della musica pressati in un'unica macchina sonora: qualcosa che concettualmente riporta alla compiuta ed elementare esattezza dell'hamburger. *Fast-food music*. Il tocco personale (il chéciap) Nyman lo aggiunge con il suo talento melodico, effettivamente singolare: quando vuole cantare, canta, che detto così è semplice, ma poi è una cosa che non puoi imparare, bisogna avercela, come insegnava Puccini (uno che ce l'aveva), ti viene e basta: a lui viene. Come quando si siede al pianoforte, da solo, senza orchestrali, e attacca la musica di *Lezioni di piano*: e in sala non partono gli accendini solo perché è Santa Cecilia, mica San Siro. Quello è romanticismo bell'e buono, ripescato da un tempo che non c'è più e restituito come se per un attimo quel tempo ci fosse di nuovo. È musica di Schumann passata indenne dalla clinica psichiatrica, tenuta in frigo per un secolo, risvegliata a colpi di musica leggera, traumatizzata da un po' di avanguardie, portata in visita da Clydermann, lasciata in pensione da Glass per ripulirsi e alfine servita calda, sul piatto d'oro di un film perfetto. Un percorso furbo, non c'è che dire. Nella gradevolezza senza condizioni del prodotto finale si mescolano imperscrutabilmente il sapore dolce di una promessa mantenuta, e il profumo fastidioso della merce ben confezionata. Bisognerebbe avere un cervello come un bisturi per separare l'uno dall'altro e capirci qualcosa. Ci vorrebbe uno come Adorno, nato in California, però, e cresciuto con Spielberg. Forse lui saprebbe dire se quella è una truffa o, semplicemente, la musica che siamo noi.

Carlo Magno, l'imbecille

A parte che più della vita di Carlo Magno sembrava la vita di san Francesco; a parte che gli strafalcioni storici si sprecavano, a parte che il casting devono averlo fatto tirando a sorte; a parte la fastidiosa sensazione di una tirchieria mal dissimulata, con quelle battaglie tutte in taglio stretto, i cortei che al massimo vedi venti persone, e la corte vaticana costretta in una specie di sala d'aspetto; a parte l'ostinazione nell'infilare tutte le scene di amore in piscina, ma perché? a parte l'inattaccabile apatia dei terribili guerrieri franchi, tutti ordinati e svogliati come solo riescono ad esserlo i coristi, all'opera, quando fanno i soldati; a parte il finale, noioso e frettoloso; a parte tutto questo, e altre amenità, *Carlo Magno* che ha dilettato milioni di italiani per tre domeniche aveva qualcosa di istruttivo. Non su Carlo Magno (lì, anzi, deve aver fatto solo guasti). Sulla televisione.

La cosa più sconcertante, in tutto il gran polpettone, era la sceneggiatura. Meglio: l'idea di sceneggiatura che teneva su il tutto. L'idea di narrazione. Metodicamente, e con lucida, straordinaria coerenza, quella storia hanno deciso di raccontarla alla luce di un'unica, elementare certezza: il telespettatore è un imbecille. Non è uno che è in grado di capire: è uno a cui bisogna cacciare le cose in testa col martello. Se per esempio Carlo Magno sta chiacchierando con la madre sul tema "una vita matrimoniale da schifo", e subito dopo lo sceneggiatore ha deciso di illuminarci sulle trame eversive del perfido duca di Baviera, quello che è escluso è che, semplicemente, le due scene passino una dopo l'altra: è chiaro che l'imbecille col telecomando in mano non capirebbe e sarebbe traumatizzato da un così repentino scarto spaziale e temporale. Così, la sequenza giusta diventerà: i due parlano di matrimonio e disastri, quando hanno finito la madre di Carlo, di punto in bianco e senza nessuna apparente ragione, poserà il lavoro a maglia e dirà una cosa del tipo: "Certo che quel duca di Baviera non mi piace niente...". Stacco. Primo piano del suddetto duca, illuminato da sotto, come i bambini quando fanno i mostri con la pila sotto il mento, che sorride maligno e si sfrega le mani, assaporando il tradimento. Tre puntate da due ore: tutte così. Se deve succedere qualcosa, garantito che te lo dicono prima. È abolito il colpo di scena: evidentemente troppo complesso per il decerebrato che sta davanti alla tivù, viene sostituito da una fitta rete segnaletica a prova di imbecille che mette al sicuro da qualsiasi sorpresa. Se qualcuno tradisce, hanno incominciato a dirtelo venti minuti prima. Se Carlo si infila nella trappola di Roncisvalle, tutti – tranne lui, ovviamente – se ne sono accorti già da mesi. Dato che ti devono spiegare tutto (tu, da te, non capiresti), tutti si dilungano in gran spiegazioni, e dato che non lo possono fare guardando te (il decerebrato), lo fanno parlando a Carlo: geniale trovata degli autori grazie alla quale il decerebrato diventa lui, Carlo, strano re sempre intento a farsi raccontare come vanno le cose visto che lui, da sé, ci capisce poco (evidentemente era, in nuce, un teleutente).

ra: *Carlo Magno* non era una *situation comedy*, non era un serial: era un film. Ma attenzione: un film per la televisione. La cosa che sconcerta è che, in quanto televisivo, usasse una tecnica narrativa che ormai al cinema suonerebbe ridicola. Non c'è più nessuno, al cinema, che osa scendere sotto una certa soglia di didascalica stucchevolezza. E anche il prodotto più commerciale – per dire: i *Tre moschettieri* attualmente in circolazione – usa meccanismi narrativi molto più sofisticati che *Carlo Magno*. Così, quel kolossal (si fa per dire) spiegava con precisione la divaricazione che si vuole sancire fra pubblico del cinema e pubblico della televisione. Considerato che il cinema usa tuttora e nella maggior parte dei casi una struttura narrativa ancora sostanzialmente elementare – mille volte più schematica e semplice di quella, ad esempio, che si può permettere un libro – quel che salta all'occhio è: l'idea che ci si è fatti del teleutente è di uno che sta sotto i minimi sindacali di intelligenza.

Viene da chiedersi: sarà vero? Boh. Certo, qualche dubbio si ha il diritto di coltivarlo. È vero che il pubblico televisivo è più disattento, più episodico: ma lì la contromisura è *Beautiful*, che sembra scemo ma non lo è, perché è fatto non per stupidi ma per gente che intanto stira, va a fare una telefonata, mette il pannolino a Katia, salta due puntate, ma non importa, alla fine capisce lo stesso. Chiamali fessi. Ma *Carlo Magno*, no: quello era un film: se ti alzavi un attimo non capivi più niente. Se restavi seduto capivi anche se non volevi. Lì crepitava in tutto il suo nitore la convinzione che, semplicemente, chi sta davanti al televisore va avanti col cervello in prima. Ma perché? Chi l'ha detto? Bernabei? L'Auditel? Il Censis? La Costituzione? Il Gabibbo? Oscar Mammì? Il Papa?

L'eroismo dell'esattezza

Dipende da che parte lo guardi, *Quel che resta del giorno*, di James Ivory, e puoi leggerci tante storie diverse. A molti è sembrata, soprattutto, una storia d'amore: di un amore imploso, con una deflagrazione lentissima e silenziosa. Per molti è un film sulla cara vecchia dialettica servo-padrone: ricordi di scuola. Hegel e poi Marx, allora sembrava la verità, poi tutt'a un tratto non se n'è fatto più niente. Ma c'è un punto da cui guardare quel film nel quale quella storia sembra, soprattutto, la scrittura di un concetto: quel film racconta l'esattezza.

La raccontava, benissimo, il libro (scritto, in lingua inglese, da uno nato a Nagasaki: Kazuo Ishiguro). Curioso: quando esce un film tratto da un libro, se parli del libro ne parli all'imperfetto, come se fosse morto. E invece. In questo caso, come in molti altri, il libro aveva (ha) una forza che nessun Ivory e nessun Hopkins potrà restituirgli: la lingua in cui era scritto. Come parlava, dalla prima riga all'ultima, Mr Stevens, il protagonista, il maggiordomo di Darlington Hall. Lui *era* il suo modo di parlare. Lui non diceva "Io penso che", diceva "Mi vien fatto di pensare che". Per trecento pagine, tutto così. Un esercizio di stile, certo, ma non gratuito: nel momento in cui raccontava una cosa, lo era: una scrittura esatta oltre ogni ragionevolezza. L'epica dell'esattezza.

Nel film quella scrittura sopravvive nella voce fuori campo di Mr Stevens: ma sono brandelli, rovine. Quel che si perde, rispetto alla scrittura, si cerca di recuperarlo con le immagini (ovvio). Qualche volta Ivory ci riesce. Soprattutto una volta. Stanno preparando la cena per il summit diplomatico a Darlington Hall. Tavola imbandita con ricchezza e perfezione. Arriva Mr Stevens e fa una cosa che poi non dimentichi: misura con un metro di legno la distanza dei bicchieri dall'orlo della tavola. Lo fa a ogni posto (ce ne saranno trenta). Misura e corregge: magari di tre millimetri, di un niente. Eccola, l'esattezza. Fermata in un'immagine definitiva. Tutto il film sembra poi dedotto da quell'immagine: come un cataclisma dalla precisione di una reazione chimica.

Più che uno schiavo, più che un uomo innamorato, più che un figlio modello, Mr Stevens è il sacerdote dell'esattezza. È un eroe epico. Come Achille, Achab, Don Giovanni o Emma Bovary è l'individuo che incarna un'esperienza banale portandola a quella soglia dell'eccesso oltre la quale diventa gesto epico: ed entra, così, nel mito. L'esattezza è una tessera come altre del quotidiano sfangare l'esistenza: in lui diventa una categoria dello spirito. Diventa l'Esattezza. E quando le cose prendono la maiuscola cambiano statuto: aprono un dialogo col pensiero. Diventano il "da pensare".

Con la sua vicenda umana, Mr Stevens detta una teoria: che l'esattezza è un sistema di difesa. È un lago in cui annegare la vita e le sue insidie. Se tu metti davanti a tutto il dovere dell'esattezza, quel che succede è che molti pezzi della vita, semplicemente, non accadono. Li fermi prima. È come una sicura che impedisce all'esistenza di premere il grilletto. Prevenire invece che curare. È un modo di intendere le cose che risulta per lo più denigrato, in nome di quella stupida storia del giorno da pecora e del giorno da leone, ma è in realtà una tecnica di sopravvivenza sofisticata e raffinatissima. Mr Stevens, occupato a convertire tutto all'esattezza, non ha tempo di innamorarsi, non ha tempo di chiudere gli occhi al padre che muore, non ha tempo di avere una sua opinione politica, non ha tempo di avere opinioni in genere.

In definitiva: non ha tempo di sbagliare. L'esattezza, in lui, che ne è l'eroe, non evita l'errore: più radicalmente non gli dà il tempo di esistere. Suprema tecnica di dilazione all'infinito.

Il risultato è un'esistenza né giusta né ingiusta, né

bella né brutta, né vera né falsa. Decadono tutte, queste dicotomie. Quella è, semplicemente, un'esistenza *neutrale*. Una forma di vita al cospetto della quale i valori si autosospendono e non esiste più un quotidiano schierarsi ma semplicemente un pacifico abitare il tempo, e la vita. Difficile immaginare qualcosa di meno romantico, meno avventuroso, meno eroico. Ma è un'apparenza. Quella è una cosa che deve avere a che fare con la saggezza. Chissà che non avesse in mente qualcosa di analogo, Nietzsche, quando predicava la vitalistica immobilità dell'eterno ritorno. Se provi a vederla in quel modo, quasi ci caschi. Ti viene da pensare che da domani metti a posto tutti i tuoi cassetti, e rifai il letto appena sveglio, e parlerai come Mr Stevens, e per sempre sarai il maggiordomo di te stesso.

E così ti salverai.

Oh happy day *

Il 28 marzo mentre il paese se ne stava acquattato ad aspettare dei numeri che gli confermassero la spiritosa idea di essere un paese di teleutenti di destra, sono arrivati a Torino i Los Angeles Jubilee Singers, cioè 14 cantanti neri che girano il mondo a testimoniare la tradizione musicale afro-americana, grande grembo sonoro a cui dobbiamo buona parte del paesaggio musicale del nostro tempo. Uno va, ripassa e impara. Una bella lezione. Particolare non insignificante: il concerto figurava in un cartellone, quello dell'Unione Musicale, che è un cartellone di seriosissima musica colta: a consolazione di chi si ostina ad amare i percorsi trasversali, le vie oblique e le serpentine dell'intelligenza.

Prima che sentirli, li vedi. Ed è già un bello spettacolo. Il direttore si chiama Albert McNeil, è bianco (perché?), sfoggia un adorabile sorriso in maiolica e porge il programma del concerto con l'eleganza di un maître d'hôtel vecchio stampo, tipo Romolo Valli in *Morte a Venezia*. Parla in spagnolo, il che è buffo, perché sentirsi spiegare cos'è uno spiritual in spagnolo è vagamente assurdo, *corazón*, *alma*, *oración*, *me entiende*? Sì, ma sembra Iglesias, dov'è finito il caro vecchio *soul*? Nel coro, come in tutti i cori, c'è di tutto. C'è uno che sembra il fratello buono di Tyson, farebbe anche paura, poi attacca a cantare e tira fuori una voce da tenore di seta che sarebbe piaciuta a Rossini. C'è il soprano uno e ottanta, fisico da *Italia 1*, lunghi capelli ondulati quasi

* Primo Barnum dell'era berlusconiana. Scritto due giorni dopo il mitico 27 marzo.

biondi, unghie tre centimetri, canta tutta composta i suoi spiritual ma al momento di staccare l'*Habanera* della *Carmen* ci mette un attimo a far fuori lo scialle nero, e via con un décolleté che lascia il segno. Ci sono tre o quattro voci femminili dell'altro mondo, più tradizionalmente confezionate in fisici dal giro vita clamoroso. C'è quello coi baffetti e il fisico asciutto asciutto, che fa il grullo e balla da dio, con l'anca snodabile, l'ho visto in mille film, c'è sempre, c'è anche lì. Quando entrano, con l'aria di divertirsi un mondo, e quella cerimonia di gesti e passi che è tutta una seduzione studiata al millimetro, hai la vaga sensazione di essere a Las Vegas, in quegli spettacolini con cui ti impediscono di pensare tra una slot e l'altra. Poi, però, attaccano a cantare.

Mezz'ora di spiritual, e basterebbe quella a dare un senso alla serata. Varrebbe la pena di essere Dio solo per sedersi là e dire, va be', chi è che prega adesso? Ci sarebbe quel gruppo da Los Angeles, bene, sentiamo: e loro attaccano, con quelle voci che quando vogliono sono velluto sottile, e quando vogliono diventano fruste di vetro, incominciano a schioccare nell'aria, e se è dolore vorresti aver quel dolore lì, e se è gioia è quella gioia, che vorresti tu. Fa anche ve ; ô po' i brividi pensare che nel grembo di quella polifonia da paradiso semplice c'è già il jazz, figlio canaglia, e perfino il rock, nipote scapestrato. Fa venire i brividi pensare che è nato tutto da un modo di pregare. Modo bello, che ha una storia pazzesca se si pensa che è la storia di gente che veniva dall'Africa e dai suoi dèi, e che è finita in qualche linda chiesetta metodista, nella terra dei propri nuovi padroni, a cantare inni che non conosceva a un Dio che non conosceva: potevano anche mandare tutti in mona, e rifiutarsi di fare alcunché, potevano anche prenderla male, messi in fila nei banchi, con l'inno scritto sulla lavagna, potevano farsi una sonora risata e tacere per sempre. Invece inventarono gli spiritual che vorresti risentire. Non ho capito perché ma a un certo punto i Los Angeles Singers mettono su perfino un pastiche della *Carmen*: vada per l'*Habanera* (ritmo che veniva dall'Africa via Cuba) ma che c'entra Escamillo e i toreador? Di colpo, risenti il profumo inconfondibile di Las Vegas, regno incontrastato della contaminazione, del non senso, e del kitsch.

Va be'. Come peraltro a Las Vegas, il pubblico gradisce, sta al gioco, finisce a battere i piedi sul sussiegoso pavimento in legno del Conservatorio, fischia, grida e fa casino. Considerato che in quella sala una volta ci passavano solo le Schwarzkopf, gli Amadeus, i Kempff, i Pollini, se le poltrone hanno un'anima devono aver passato una serata un po' strana, quelle lì.

Ultimo bis: *Oh happy day*. Gran canzone. Nel giorno sbagliato.

Bach, sentieri e radure

Poi, in mezzo al gran baccano di urli che ti assediano da fuori e da dentro, trovi per caso il vicolo non presidiato dal ciarpame d'ordinanza, e sgattaioli via per una porta oltre alla quale c'è una neutrale sala dove signori vestiti di nero zittiscono tutto e ti vanno a ripescare nelle tasche del passato due ore di musica che si chiamano: *Passione secondo Giovanni* di Johann Sebastian Bach. Ti senti come una pallina da flipper che casca giù, finalmente, la terza pallina, l'ultima, *game over*, tutto si spegne intorno, almeno per due ore, *game over*. Quel che resta è quella strana liturgia, arrivata lì, a nasconderti. Traduzione: è venuto Sawallisch, alla Rai di Torino, a dirigere il Bach della *Passione secondo Giovanni*. Bella esperienza, e strana.

Nelle *Passioni* bachiane ciò da cui non puoi scappare è il ritmo. Sono narrazione e preghiera. Ma innanzitutto sono una liturgia di tempi. Il tempo veloce, scarno, tagliente del racconto, e quello infinito della preghiera. L'evangelista canta i versetti evangelici, con una voce che vorrebbe essere scrittura su pietra e che ogni tanto si incrina come la voce di uno che c'era, lì, in quel momento, quando l'hanno ucciso, proprio lì. Stacca i suoi versetti evangelici, solo un po' appesantiti dai fonemi tedeschi, e quello è come un sentiero. Poi si ferma. E quello che c'è dopo è radura, e sospensione, e infinito. Un corale: che pure è geometria pura, è architettura perfetta, è spazio che non finisce, è orizzonte e non limite, è prospettiva a perdita d'occhio. Il tempo arrestato della preghiera. Sentiero e poi radura. Sentiero e poi radura. Ripetilo per due ore e diventa un ipnotico ritmo dell'anima a cui non puoi sfuggire. Anche se poi pensi ad altro, è su quel ritmo che balli, coi tuoi pensieri.

(È un ritmo che l'opera, canaglia, imparò subito. Per fini meno nobili, ma non importa. Recitativo e Aria. Sentiero e radura. Fino al genio di Rossini che, essendo un uomo terrorizzato dai sentieri nei boschi, era un esperto di radure, e invece dell'Aria, al momento buono, piazzava un concertato che era davvero tempo sospeso, sparito, svanito, svaporato. E anche se dicevano grullate qualunque, cantando, è sempre qualcosa di sacro che senti, assurdamente, quando senti quelle sue bolle di eternità. Che a loro modo erano preghiere, evidentemente, a sua insaputa – insaputa di Rossini – e probabilmente anche a Sua insaputa – sua di Dio.)

Così che, alla fine, ti viene da pensare – lì, macinato da quel ritmo e dalla musica di Bach – che non sarebbe male vivere a quel ritmo, voglio dire, non sarebbe male se ci fosse la possibilità di scaricare l'accadere delle cose, sempre, in una susseguente parentesi bloccata, una porzione di tempo riservata ad accogliere *dentro* quel che è successo, ad ospitarlo nella coscienza, a sistemarlo nella memoria, a posarlo nel proprio privato sentire. Giacché è chiaramente una maledizione spicciola ma enorme il fatto che fare e sentire ce li abbiano ordinati come gesti simultanei, e così anche vivere e capire, accadere e essere. Come se ci fosse qualche fretta misteriosa a imporre quella simultaneità falsamente efficiente, in fondo illusoria, e fondamentalmente disumana. Quando noi, invece, a questa corsa in apnea avremmo sinceramente preferito quella collana di sentieri e radure, sentieri e radure, sentieri e radure, solo a dirlo già ti sembra tutto più sereno, e tranquillo.

Sentieri e radure. L'ultima radura della *Passione secondo Giovanni* è la più bella. Quella alla fine di tutto il sentiero. Si mise di buzzo buono, il vecchio Bach. Un corale che non sa dove andare. Perché da una parte vorrebbe cantare la giusta gioia del credente redento, la gratitudine del fedele salvato. Ma c'è di mezzo quella storia dell'uomo sulla croce, e Pilato che chiede così la verità, e il discepolo amato, e Donna questo è tuo figlio, Questa è tua madre, e Pietro che tradisce, insomma c'è di mezzo tutta quella storia che è storia di uomini, di dèi orfani, e di terrestre dolore, e umana commozione. Non è che la puoi dimenticare. Così non gli riuscì proprio di fare un inno alla gioia e basta, si inventò un luogo dell'anima che quasi non c'era e mise insieme una musica che è dolore che scivola, per stanchezza, si arrende, tristezza che si arrende, e china il capo, con dolcezza, alza le mani e si consegna alla gioia, per stanchezza, capitola lentamente, e diventa gioia, prima era dolore, e adesso non lo è più.

Fermo restando che raccontarlo non si può, bisogna sentirlo, non c'è santo, non è cosa che puoi scrivere, da nessuna parte.

C'era una volta Buffalo Bill

Certo che se la son proprio andata a cercare, gli americani. Con quella storia di Eurodisney, dico. Andare a farlo proprio a Parigi. Che idea. Perché se fosse solo un luna park, un gigantesco, geniale luna park, andava anche bene Parigi. Ma Disneyland è qualcosa di diverso. È l'ideologia yankee a forma di luna park. In quel senso è il massimo pensabile, immaginabile, inventabile. E se c'è un posto in cui la gente non ama pensare yankee, quello è Parigi, cioè la Francia. In Francia vai al cinema e quando passa la pubblicità dei Levi's con la scritta *The original jeans*, loro ci mettono un asterisco in calce: *Les jeans originales*. Delirante. E c'è di peggio.

I francesi sono gli unici che sul deposito di Zio Paperone invece del classico simbolo del dollaro, il sacrosanto $, ci mettono una bella F, effe di franco, roba da chiodi. E quelli, nell'incertezza di dove impiantare quel baraccone da miliardi, dove lo mettono alla fine? In Francia. Adesso navigano nei debiti. Cosa si aspettavano da gente che fa nuotare Paperone nelle monete da 10 franchi?

Comunque ci sono andato, a Eurodisney, se non altro per solidarietà. Uguale a Disneyland (California). Solo che è un po' più piccolo.

E soprattutto: non ci sono gli americani, gli unici che davvero possono rischiare l'ernia per pagaiare come ossessi, su per i fiumi di Davy Crocket, come fossero bambini e invece hanno cinquant'anni. Gli unici che riescono ad andare su un otto volante da giro della morte con un hot dog in mano. Gli unici che riescono a mangiare popcorn anche bevendo. Gli unici che a Disneyland non portano i figli ma si fanno portare dai figli. Gli unici che non si sentono idioti neppure per un istante, là dentro. Neanche un istante.

Così, da quel paese da sogno orfano di veri sognatori professionisti, non sarei tornato con un *Barnum* in testa se, uscendo, non mi fossi imbattuto nel mitico, storico, unico *Buffalo Bill's Wild West Show*, attendato ai margini di Eurodisney come i bordelli, una volta, appoggiati alle periferie delle città di frontiera.

Mi ha perfino un po' commosso perché quello show è l'unico sottile ma reale rapporto diretto con il West che io posso vantare. Nel senso, piuttosto labile, che mio nonno l'aveva visto, in piazza d'Armi a Torino, quando c'era Buffalo Bill proprio lui, e forse anche Toro Seduto (su quello era sempre un po' evasivo), e così per la proprietà transitiva io che stavo a sentire mio nonno che era andato a vedere Buffalo Bill che aveva visto il West potevo pensare (e non ho mai smesso di pensarlo) che io avevo visto il West. Da lontano, ma l'avevo visto.

Adesso Buffalo Bill non c'è più, com'è ovvio. C'è un americano bonazzo coi capelli biondi lunghi, i baffi e il pizzetto, un'imitazione così così. Non spara mai: fa finta. Però il resto è da non crederci. Tu entri, ti mettono in testa un cappello da cowboy, ti mettono a sedere mentre ti propinano in scodella e tegame un vero menu da ranch (fagioli e carnazza), ti passano sotto gli occhi l'assalto a una diligenza, una carica di bisonti, scorribande indiane, prove d'abilità varie e una sfida fra quattro ranch, tipo rodeo. Il tutto col sottofondo di un discreto, ma ineludibile, tanfo di stalla. Detto così, sembra il massimo dell'imbecille. E invece. Sarà per la birra che continuano a versarti nel tuo bicchiere di stagno (similstagno, naturalmente), ma dopo pochi minuti ti sorprendi a tifare per il ranch che ti hanno assegnato, ululando a ogni numero dei tuoi, sparacchiando in aria con una Colt (similcolt in plastica, 70 franchi, che poi all'aeroporto non sai più dove ficcarla), divorando fagioli che a casa neanche riusciresti a immaginare, e chiedendoti quand'è che arriva Toro Seduto, non c'è Toro Seduto, come non c'è? ti dico che non c'è, ma va', buoni 'sti fagioli. Da non crederci. E non penso dipenda da una mia personalissima disposizione al rincitrullimento, secondo me anche Calasso finirebbe così, Calasso quello di *Cadmo e Armonia*, anche lui. È quella maledetta capacità che hanno gli americani di metterti il cervello in *pause* e l'anima in *rewind*: dei maestri, nel genere. Per pochi dollari, ti prestano due ore di quelle che avevi addosso quando scambiavi figurine e in confessionale ti dovevi inventare i peccati perché non ne avevi, di veri. Chiamali stupidi. Ci vuole del genio, per acrobazie del genere. È come centrare un dollaro che vola, con un Winchester, galoppando all'impazzata.

Diceva mio nonno che Buffalo Bill l'aveva fatto, quel giorno.

Il ritorno di Jovanotti

Non ci si può più distrarre un attimo. Il gran *tapis roulant* del presente ti scappa via da sotto i piedi e ti porta dove vuole lui. Tocca riprendere le misure continuamente, rifare le mappe, aggiustare le enciclopedie. Non se ne stanno fermi un attimo, quelli là.

Esempio minimo, ma neanche poi tanto: Jovanotti. Ero rimasto a quando era Jovanotti, cioè uno che detto il nome era detto tutto, al confronto Dorelli è un nome d'arte da intellettuale. Nella mappa più o meno consapevole di quel che c'è, se ne stava tranquillamente nelle zone del cretinismo giovanile, zona rassicurante perché non interroga l'intelligenza e non dà fastidio, almeno fino a quando quei giovani lì non vanno a votare, e allora capisci che magari qualche domanda bisognava farsela, ecc. ecc. Comunque. Uno di certe cose se ne accorge sempre dopo. Per intanto Jovanotti se ne stava lì, e non me ne poteva fregar di meno.

Poi un giorno becco Cecchetto che dice sui giornali una cosa strana. Dice che Jovanotti è uno con la testa, e che tempo dieci anni ce lo saremmo trovati a fare il *maître à penser*. Era talmente grossa che mi ci son fermato su. Non è che Cecchetto sia propriamente uno dei miei punti di riferimento ideologici, ma il tono con cui staccava quella paradossale profezia era strano: si sentiva che lo diceva con disappunto, si sentiva che ne avrebbe volentieri fatto a meno di un Jovanotti intelligente, ma doveva arrendersi all'evidenza. Sembrava uno a cui si era rotto il giocattolo. Ti veniva da credergli, insomma.

Poi, un altro giorno, finisco davanti al Videomusic e

mi bevo tutta la *Serenata rap, Affacciati alla finestra amore mio,* Jovanotti e altri quattro sospesi nel vuoto a trenta metri d'altezza, in mezzo ai casermoni di una qualche periferia agghiacciante, *Amor che a nullo amato amar perdona porco cane lo scriverò sui muri e sulle metropolitane,* intanto che mi chiedevo in che film avevo già visto quella scena mi accorgevo che rimanevo lì, non cambiavo canale, non spegnevo, niente. Fino alla fine, *affacciati alla finestra amore mio, per te da questa sera ci sono io.* Fino alla fine, me la sono bevuta, e non ho mica sedici anni, io.

Non ho mica sedici anni, io, è anche la cosa che ho pensato quando sono entrato al Palasport, per andare a vedere cosa diavolo era successo, e mettermi sotto il palco, e guardare Jovanotti da lì, per capire, già che qualcosa da capire, evidentemente, c'era. Non ho mica sedici anni eppure la prima cosa che mi è passata per la mente, dopo averlo visto salire sul palco e buttarsi a capofitto dentro il suo concerto, è stata: Cecchetto aveva ragione. È incredibile cosa ti può capitare di pensare, nella vita. Cecchetto ha ragione. Questa non me la sarei mai aspettata.

Il concerto di Jovanotti è un tunnel ritmico che scava sotto la terra delle settemila vite dei settemila presenti, e là sotto stampa nel buio storie dopo storie, con la scrittura magnetica e fluorescente del rap. Testi e musica fanno la loro parte: il resto che è il più, lo fa lui, Jovanotti. Un talentaccio, c'è poco da dire. Funambolico folletto che annulla il confine tra palcoscenico e gente, piomba giù dritto nelle teste e tra i piedi dei settemila, e da lì non lo stacchi fino a quando non decide lui di andarsene. Dice la sua su molte cose, parlando o cantando, e sarebbe stucchevole se non lo facesse con quella voce lì, con quella faccia, con quella voglia e con quella forza. Dice la sua, e non sono idiozie: un po' tutto allineato a un galateo filosofico da progressista disciplinato, ma con una sincerità dentro, e uno stupore, e un candore come se le avesse scoperte in quell'istante, quelle cose. Non ho sedici anni, ma se li avessi vorrei che me le raccontassero così, quelle cose lì. Oliate dal rap, e rese uniche da quel tipo strano che sembra morirci dentro, ma veramente.

Bisogna fare uno sforzo bestiale, una ginnastica della mente da crampo al cervello, ma se ci riesci, c'è un modo di veder le cose per cui Jovanotti è qualcosa di più di un prodotto commerciale che funziona. Se solo si riuscisse a far fuori per un attimo tutta quella faccenda della cultura alta e bassa, serie A serie B, se si riuscisse ad uscirne, allora resterebbe il semplice dato di fatto che ci sono delle storie da raccontare, e a decidere quali sopravviveranno è la forza del narratore che le racconta. Allora – pur col cervello bloccato dai crampi – si potrebbe arrivare a pensare che quel modo di raccontare storie, macinando ritmo e rime, lasciando scoppiare sul palco tutta una voglia che solo da giovani si ha, è un modo che salva le storie e non le lascia sbiadire a prodotti di consumo puri e semplici. C'è una spettacolarità, dentro quel modo di raccontare, che rende pesanti le parole, o così leggere da renderle capaci di arrivare lontano. È una spettacolarità che le stampa, non le lascia volar via. E se è vero che sono poi solo canzonette, non è falso che è quello un modo, qui e ora, di lasciare il segno.

Roth, Spielberg e l'Olocausto

Se vi piace mettere il vostro cervello su insostenibili ottovolanti e la vostra coscienza in un frullatore, consiglio una micidiale accoppiata: *Operazione Shylock*, ultimo romanzo di Philip Roth e *Schindler's List*, sette Oscar, l'ultimo Spielberg, quello diventato adulto. Da consumarsi uno dopo l'altro.

Roth ha scritto un romanzo che è una vertiginosa palude, proditoriamente fatta dilagare intorno a una voragine della coscienza, al triangolo delle Bermude di qualsiasi riflessione: la questione ebraica. Ci potete trovare di tutto, e tutto sotto la clausola di un'incorreggibile ambiguità. Gli stessi personaggi non sanno bene chi sono. Le idee si accavallano, equivalenti, hanno ragione tutti, non ha ragione nessuno. Parla il palestinese e stai con lui. Parla il sionista e stai con lui. Parla l'ebreo anti-israeliano e stai con lui. Chiunque parli, stai con lui. Una palude, dico. Con dei passaggi che fanno male. Cito testualmente: "Poi il 1967: la vittoria israeliana nella guerra dei sei giorni. E con questo la conferma, non della dealienizzazione, dell'assimilazione o della normalizzazione degli ebrei, ma della *potenza* degli ebrei: comincia la cinica istituzionalizzazione dell'Olocausto. È proprio qui, con uno stato militare ebraico vittorioso e giubilante, che la linea di condotta ufficiale degli ebrei diventa quella di ricordare al mondo, minuto per minuto, ora per ora, dalla mattina alla sera, che prima di essere dei conquistatori gli ebrei sono stati delle vittime e che sono dei conquistatori solo perché sono delle vittime". Auschwitz come inattaccabile alibi per qualsiasi violenza e prevaricazione sociale e militare. Il grande *business* dell'Olocausto, sfruttamento economico e ideologico dei sei milioni di vittime innocenti. Ne esce male perfino Anna Frank, librettino da nulla elevato a totem del complesso di colpa collettivo. Ci dà giù duro, Roth, e il fatto che in altre pagine dica esattamente il contrario, non significa nulla. In quelle pagine leggi quello, e il racconto di un giro per i territori occupati, a Gerusalemme, rende quelle parole anche più pesanti. Non è che proprio le dimentichi, quando giri pagina.

Io me le sono ricordate guardando sui giornali la pubblicità di *Schindler's List*, coi suoi bei sette Oscar. "Non c'è nessun *business* più grande della Shoà" (p. 136, nel libro di Roth). Sono andato e ho visto. Bel pugno nello stomaco, nonostante Hollywood che fa capolino qua e là, nonostante il brutto finale a colori, nonostante i cattivi racconti con la superficialità solita del cinema, nonostante il solito nazista che uccide e suona Bach, nonostante il Schindler da fumetti Marvel, una spanna più alto degli altri, spalle da supereroe. Nonostante tutto. Un bel pugno nello stomaco. Esci e pensi: bello o brutto non importa: quello è un film necessario.

Coscienza nel frullatore e cervello a fare giri della morte. Roth o Spielberg? O tutt'e due?

Dato che non ho risposte, appunto due annotazioni. Prima: ti vedi passare alla tivù e sui giornali la realtà, per mesi, per anni, poi a inchiodarti con una violenza tutta particolare sono un bestseller e un film da Oscar. Ancora una volta: a prescindere da cultura alta o bassa, è il racconto della realtà che ti incunea la realtà nella testa, e te la fa esplodere dentro. I fatti diventano tuoi o quando ti schiantano la vita, direttamente, o quando qualcuno te li compone in racconto e te li spedisce in testa. Che vuol anche dire: raccontare non è un vezzo da dandy colti, è una necessità civile che salva il reale da un'anestetizzata equivalenza. Il racconto, e non l'informazione, ti rende padrone della tua storia.

E poi. C'è qualcosa, in quella storia dell'Olocausto, e in generale nella questione ebraica, che trascende la verità dei fatti. Quella storia noi l'abbiamo scelta come storia totem, come simbolo, come dato mitico. Sei milioni di morti è una cifra pazzesca, ma come ricorda la frase del *Talmud* che gli ebrei di Schindler incidono nell'anello d'oro che gli regalano: "Chi salva una vita salva il mondo intero". Vale anche il contrario: in una vita che muore, muore il mondo intero. Sarebbe desolante se la gravità dell'orrore fosse solo una questione numerica. E allora perché l'Olocausto e non le pulizie etniche in Jugoslavia o gli eccidi africani? Perché gli ebrei e non il barbone bruciato sotto casa? Uno o sei milioni, l'orrore è lì.

Io non so. Ma viene da pensare che nella granitica resistenza che l'Olocausto oppone a qualsiasi spiegazione, e la questione ebraica a qualsiasi soluzione, crepiti l'antica ingiudicabilità del mito: ferita non rimarginabile, che non tramanda tanto qualcosa di veramente accaduto, ma il dolore accumulato per tutto il vero accaduto, in ogni dove.

Il gioco più veloce del mondo

Non so chi se n'è accorto: ma han fatto in Italia i mondiali di hockey su ghiaccio. Un notizione, per canadesi, svedesi, finlandesi e nordici vari. Non per gli italiani. Che l'han presa come, mi immagino, gli allevatori del Wisconsin prenderanno i mondiali di calcio in Usa, a giugno: "Vuoi dire che non possono prendere la palla con le mani? Ma va'".

In realtà l'hockey è uno sport di bellezza esagerata, e, in definitiva, il non poterlo giocare rappresenta una delle poche ragioni per rammaricarsi di non vivere in un paese in cui fa un freddo maiale e il sole tramonta alle tre e mezzo. L'hockey è velocità, leggerezza e violenza. Strano mix. L'hockey è l'unico sport in cui giocano così veloci che a un certo punto non sai più dov'è la palla (che poi è un disco, tipo rotolo di nastro adesivo da elettricista). È l'unico sport in cui mezza squadra esce dal campo e mezza entra senza neppure fermare l'azione. È l'unico sport in cui marcantoni da cento chili volteggiano su due lame da nulla e sembrano ballerini, e lo sono, fino a quando non decidono di spalmare l'avversario contro le sponde di plexiglas, e allora diventano bufali in picchiata, e non è nemmeno fallo, mai. Dato che il ghiaccio è duro e gli avversari anche, volteggiano non in tutù, ma imbottiti come omini Michelin, con un caschetto in testa e gommapiuma dappertutto. Si distinguono, nel curioso look, i portieri: immobili come batraci, se ne stanno davanti a una porta poco più grande di loro, completamente bardati da capo a piedi che sembrano i cavalli nelle corride: se ne stanno lì e aspettano che il disco, a cento all'ora, li colpisca da qualche parte, faccia compresa, e quella la chiamano "parata". Ogni tanto, quel piccolo proiettile nero trova spiragli invisibili e va a gonfiare la rete, alle loro spalle. Altre volte decolla impazzito e schizza tra il pubblico: e lì i casi sono due: o sei cretino, te lo prendi in fronte e finisci in ospedale, o sei un tifoso di hockey, lo prendi al volo, e poi lo tieni nel cassetto, e ogni occasione è buona per tirarlo fuori, e "guarda un po' qui", anche se gli altri non ci crederanno mai, ma tu sai che è vero.

Con la segreta speranza di portarmi indietro qualcosa da mettere nel cassetto sono andato a vedere la finale, domenica, Canada-Finlandia, Forum di Assago, 9.000 spettatori, sala stampa rutilante idiomi incomprensibili, spalti rutilanti di tifosi scandinavi, birra a fiumi. Canadesi favoriti, finlandesi a sorpresa. Zero a zero alla fine del primo tempo, zero a zero alla fine del secondo: i due batraci si sono presi il disco dappertutto, faccia compresa, sempre senza fare una piega. Reti inviolate, come si dice. Il Baggio della situazione è tal Luc Robitaille, un canadese che si fa i miliardi giocando tra i professionisti statunitensi, con i Kings di Los Angeles. Capelli lunghi dietro, faccia d'angelo, propensione a scansare le risse e a giocare di fino. È lui che, quando i finlandesi riescono a infilare un golletto, scende in campo, stacca un paio di eleganti figure da pattinaggio artistico poi al primo disco che gli capita, guarda negli occhi la difesa finnica, la infilza con un chirurgico *assist* e costringe al gol un compagno dal nome sublime: Brind'Amour. Uno a uno. Tempo supplementare. Rigori.

Che non sono come i nostri: sono molto peggio. Si parte da metà campo, palla al piede (traduco in footbalese), si va incontro al portiere e alla fine si cerca in qualche modo di uccellarlo. Una perfidia psichica: perché hai molto più tempo per pensare "Lo tiro alto, lo tiro basso, a sinistra, no a destra, tanto lo sbaglio perché sono un pirla" ed è chiaro che poi lo sbagli. Sbagliano due volte, i finlandesi, e sembra fatta. Ma sbagliano due volte anche i canadesi e alla fine dei cinque rigori regolamentari il tabellone dice tre a tre: un'agonia. Affogata nella sovrana indifferenza di un'Italia a cui non gliene frega niente, quelli stanno facendo una cosa tipo Italia Germania 4 a 3: roba da mito.

Si va avanti ad oltranza: chi sbaglia per primo, perde. Il giornalista di fianco a me, finlandese, stacca curiosi mugolii di sofferenza constatando con occhi da bovino triste che ha finito le unghie da mangiare. Sotto di me, in panchina, il coach canadese, tal Kingston, assiste impassibile, continuando a prendere appunti come se stesse raccogliendo le ordinazioni per il tè. Evidentemente privo di sistema nervoso. Esce dalla gabbia Baggio-Robitaille. Lui contro il batrace finlandese. Come in un western. Una finta, una seconda, il batrace finisce culo a terra, il disco si infila. Torna in panchina, Baggio, ed è come il Tardelli dei Mundial, un urlo lungo un secolo. Il finlandese che risponde si chiama Nieminen. Una finta, una seconda, il batrace canadese non si sposta di un millimetro. Tira, Nieminen: e se lo ricorderà per una vita quel disco che schizza maledettamente fuori, fine della partita, fine del sogno, mezza Finlandia che lo manda in mona (monen, immagino).

Musica a palla e canadesi a far gruppi laocoontici tra caschi, bastoni e guantoni che volano. In un angolo il vecchio Kingston continua a prendere appunti. "Due tè al latte, un croissant, una mousse, abbiamo vinto diobbuono, una cioccolata con panna..." Mitico.

Amori sul pianeta Fininvest

Ci sono cose più importanti per cui sdegnarsi, lo so. Ma a me indigna *Stranamore*. E i suoi dieci milioni di telespettatori. Sono arrivato con un certo sforzo a farmi una ragione e a sopportare con serena indifferenza il successo di Fiorello. Ma Stranamore, no. Quello grida vendetta.

La prima volta che mi è arrivato addosso c'era, seduto sul sofalone blu, un bell'imbusto tipo GO del Méditerranée: coda di cavallo (cfr. Fiorello, sono le sinergie del cretinismo televisivo), faccia grigliata da ore di raggi Uva, eleganza da cenone di Ferragosto ai Lidi di Comacchio. Alla sua sinistra, piacente signorina bionda, bellezza tipo Italia 1 (sinergie), alla sua destra piacente signorina bruna, sempre modello Italia 1. Per la cronaca, il GO le aveva mollate tutte e due, di recente, e senza spiegazioni (sentendolo parlare si poteva anche intuire il perché). Il lieto convegno era stato organizzato da Castagna per dirimere la faccenda e indurre il maschio a scegliere o la bionda o la bruna. Suspense. Poi il maschio dice che in fondo la bionda era un sentimento più profondo (profondo?) e la bruna invece un divertimento passeggero. La bionda si commuove e si stringe al suo uomo ritrovato. La bruna si alza e scantona accompagnata da Castagna che mette su faccia e voce da funerale, le dice che in fondo sono cose che succedono, su, si asciughi quella lacrima, ci saranno altre storie d'amore. Applausi. Applausi? Come applausi? Cosa c'è da applaudire?

Il tempo di qualche amabile pubblicità e arriva una che davanti alle telecamere, davanti a milioni di italiani sprofondati in poltrona, pigiama e pantofole, convoca il fidanzato e gli comunica con un gran sorriso che aspetta un figlio. Lui, il fidanzato, proprio tanto fidanzato non dev'esserlo perché diventa verde e mugugna qualcosa tipo: Va be', vedremo. Come sarebbe a dire: Va be', vedremo? (questo è Castagna, conciliante), vedremo vedremo (il fidanzato, sempre più verde), lei sempre lì col suo bel sorriso stampato in faccia. Applausi. Applausi?

Domenica mi son messo di buzzo buono, e con grande dignità ho visto tal Giuseppe cercare di recuperare una ex fidanzata con l'apparecchio (non quello che vola, quello per i denti), senza peraltro riuscirci. Poi c'era uno che si chiamava Vito e aveva una fidanzata ma i genitori non ne volevano sapere (il ragazzo deve studiare, poi magari dopo la laurea se ne riparlerà, to' chi si rivede: il Medioevo). Poi c'era uno che era molto timido e allora non riusciva mai a legare con le ragazze e così ha pensato di dirlo alla televisione davanti ai soliti dieci milioni di voyeur (geniale, un ossimoro vivente). Poi c'era una commovente signorina di Busto Arsizio che aspettava un bambino dal fidanzato marocchino, ma il fidanzato era in Marocco, inchiodato lì da lungaggini burocratiche varie: Castagna piglia su il telefono, fa finta di importunare qualche autorità, poi taglia corto, si aprono le quinte e arriva il fidanzato, lacrime e baci, grande commozione nei tinelli di mezza Italia. Ho svicolato mentre una brunetta mi spiegava che il suo ex fidanzato era un geloso pazzo, però tutto sommato adesso che l'aveva mollato un po' le mancava e allora le sarebbe piaciuto che...

Ora: io non so se quelli sono veri o li pagano, o magari sono veri e li pagano. Ma quel che so è che ce li vendono per veri. Voglio dire che stanno lì a raccontare di un mondo in cui uno, uno qualsiasi, uno normale, a un certo punto deve dire a una che la ama e trova assolutamente normale, anzi bello, anzi poetico, anzi geniale, farlo davanti a dieci milioni di italiani. A me, un mondo così, fa una tristezza bestiale. Non voglio che esista, non voglio che la gente pensi che esiste, mi indigna pensare che qualcuno voglia farci credere che esiste. Non so come spiegarlo, ma se tutto diventa show, se anche le pieghe più private della vita passano dall'altra parte, nel video, e nemmeno confezionate come storie, ma vendute come vita vera, da questa parte si fabbrica il vuoto pneumatico, si scolano i cervelli, si svuotano le parole, si sgonfiano gli istanti. La velocità con cui quello che accade in quello schermo diventa modello è feroce: dieci milioni di persone a bersi quel modo di amarsi, lasciarsi, riprendersi, sono troppe, sono oltre il livello di guardia; magari non tutti, ma molti finiranno per pensare che tutta quella robaccia è normale.

Be': volevo dire che non è normale. Servirà a niente, ma volevo ricordare che quelli sono marziani, che sono di gomma, hanno le pile dentro la schiena, e non c'entrano niente con noi. Ai dieci milioni di ipnotizzati da quell'orrore, confermo che stanno vedendo un programma di fantascienza. Avventure dal pianeta Fininvest. La vita vera, almeno provvisoriamente, è ancora un'altra cosa.

La Cappella Sistina, ascoltando Tom Waits

La Cappella Sistina, prima di vederla, la senti. Tipo caramella balsamica: la senti nel naso, e nelle orecchie. Ci arrivi da un cunicolo che gira e sale e scende, un cunicolo stretto e basso, con le pareti color ospedale. Tutti in fila, strascicando i piedi. Non ci sono quasi finestre, c'è poca aria. Inesorabile odore di umanità, lascito generoso di centinaia di ascelle e calzini internazionali in pio pellegrinaggio o colto vagabondare. La Cappella Sistina prima di vederla, la senti: odore di palestra, di classe del liceo alla quinta ora, di pullman d'estate. Non che uno si aspetti cori di arcangeli, all'ingresso, ma ti ci devono proprio fare entrare da una specie di scarpiera a forma di corridoio?

Quando il naso si abitua, scattano le orecchie. Entri, da una porticina da nulla, e prima di vedere alcunché, senti il boato uniforme e continuo di centinaia di persone stipate e sgomitanti che urlano a bassa voce. L'acustica della Cappella restituisce un biblico e febbricitante frastuono. Strana impressione. Non ho grandi esperienze nel settore, ma ti vengono subito in mente quei posti tipo lager, o stadio cileno, quelle cose lì, dove una fetta di umanità fa l'anticamera per qualche odioso orrore. Quando d'improvviso si accendono dei lugubri altoparlanti e una voce grida "Attenzione!" quello che ti aspetti è che poi dica "Le donne si portino sulla sinistra, gli uomini sulla destra", cose così. Per fortuna, più mitemente, dice di far silenzio e di non scattare fotografie. Il frastuono cala provvisoriamente di qualche decibel. Sgomitando mi guadagno un metro quadrato vagamente libero. Dato che contro quel casino bisogna

pur fare qualcosa mi infilo le cuffiette e attacco il walk-
man. Baglioni. No. Annie Lennox. No. Paolo Conte. No.
Cerco Bruckner, il mite organista che scriveva musica
per Dio: dimenticato. Non rimane che Tom Waits. Vada
per Tom Waits. Alzo il volume. Alzo gli occhi.

L'hanno risciacquata, la Sistina. Ci hanno restituito
il technicolor. Hanno tolto qualche pudica braghetta e
stuccato le crepe. Sembra nuova di pacca. Il Giudizio
Finale me lo ricordavo ingoiato da una fuliggine nera-
stra tipo polmone di fumatore. Ci vedevi poco, in tutto
quel nero, e forse il fascino stava anche lì: adesso va di
mezzetinte che è un piacere, fa un po' Laura Ashley, ma
almeno vedi, e scopri un sacco di cose, ed è come quando al cinema metti gli occhiali. La parte che a me è
sempre piaciuta di più è quella a mezza altezza, dove i
corpi salvati e risorti salgono al cielo e quelli condannati vengono ricacciati giù, e tutti galleggiano magicamente nell'aria proprio come gli astronauti della Nasa,
quando li facevano vedere alla tivù, in quelle navicelle
senza forza di gravità, ce n'era sempre uno che faceva
lo scemo e lasciava andare il panino, e il panino inco-
minciava a svolacchiare in giro, fino a che qualcuno lo
riacciuffava, e tutti ridevano, e doveva essere un modo
per dimenticarsi che stavano come granelli di sabbia
spediti a ronzare nell'infinito, soli come cani. Dev'essere
colpa di Tom Waits: uno dovrebbe pensare altre cose,
messo lì a tu per tu con Michelangelo, e con il Giudizio
Finale.

Ho abbassato Tom Waits, e ho pensato altre cose.
Ho pensato quanto micidiale è quella Cappella, a ben
pensarci, e senza farsi troppo sviare dalle tinte pastello.
Un monumento ossessivo a un totemico e rovinoso in-
cubo: il peccato. Non si esce innocenti, da lì. Centinaia
di metri quadrati di immagini ti martellano come irre-
sistibili spot rifilandoti in offerta speciale la più subdola
delle merci: il complesso di colpa. Svicoli dal Giudizio
Finale e finisci da Adamo ed Eva, la mela, il serpente, il
castigo. Cerchi rifugio un po' più in là e caschi nel Dilu-
vio Universale, altro castigo, spettacolare, una pulizia
etnica in grande stile. Perfino quel gesto meraviglioso,
Dio e l'uomo, le due dita che si sfiorano, icona impareggiabile, stampata lassù sul soffitto, e per sempre in tutti

gli occhi cui è accaduto di vederla, perfino lei ha qualcosa di inquietante, sembra già un castigo anche quello, un castigo preventivo, c'è qualcosa in quel Dio che ci impedisce di vederlo semplicemente buono e padre: ha qualcosa dell'animale in agguato, ha dentro un'inquietudine che lo scompiglia. Non è un Dio felice, quello.

È un meccanismo micidiale, a ben pensarci: stai lì con la faccia all'insù, a farti stregare da tutta quella bellezza, oltretutto lavata col Dixan, e intanto, senza che te ne accorgi, ti si sta stampando in qualche recesso dell'anima un invisibile strato di senso di colpa, che si sovrappone a quelli che già ti hanno spalmato in anni di cosiddetta educazione, il tutto a edificare, millimetro per millimetro, la catastrofe di una coscienza perennemente in debito, e cronicamente colpevole.

Forse è solo perché non c'era il sole, e dai finestroni entrava il grigio di una giornata da schifo. Forse è per colpa di Tom Waits. Comunque dalla Sistina sono fuggito con due semplici idee in testa. Prima: la prossima volta che ci vado ci vado alle otto del mattino, perché quella folla è un orrore. Seconda: la prossima volta che nasco ateo, lo faccio in un paese dove quelli che credono in Dio credono in un Dio felice.

Certe cose le trovi solo nelle pagine locali dei giornali. Finisco ad Agrigento e apro "La Sicilia". Cronache di Trapani. Sotto l'annuncio dell'apertura del nuovo Auditorium (da segnalare per una caratteristica che a me sembra irresistibile: i posti a sedere sono 999. Non uno di più, non uno di meno. Sembra un prezzo da supermercato), sotto l'annuncio dell'Auditorium trovo un titolo indimenticabile. Testuale, su cinque colonne: *Giuseppe emette petali*. Mi fermerei qui, ma per dovere di informazione vado avanti. Sommario: *A Vita altro fenomeno del ragazzo miracolato*. Occhiello. *Un medico avrebbe assistito alla fuoriuscita di un bocciolo, dalla bocca del giovane*. In altre parole: Giuseppe emette petali. Grande. Perché io me lo immagino il redattore trapanese che cerca faticosamente il verbo: sputa petali?, no, li vomita?, ancora peggio, li espelle? li espettora? Li *emette*. Come fossero francobolli. Giuseppe emette petali. Se era un verso e l'aveva scritto Montale, era poesia pura. E invece è un titolo di giornale, e allora è comicità pura, cosmica. Con quel *Giuseppe*, messo lì senza chiarimenti, come fosse un personaggio biblico, e il terzo giorno Giuseppe emise petali, chissà poi perché petali e non fiori, Giuseppe emette un fiore, in effetti è tremendo, meglio petali. Giuseppe emette petali. Eppemettepet. Un artista. Lui, il redattore. Chissà se almeno per un attimo la tentazione l'ha avuta di mandare tutti al diavolo e titolare canagliescamente: gli spunta un fiore in bocca.

Comunque. Era di un'altra cosa che volevo parlare. Una di quelle che trovi solo nelle pagine locali dei giornali. Un'altra. È accaduta a Palermo: e sembra, nella sua sintetica perfezione, una di quelle favolette illuministe che in una vicenda apparentemente insignificante riassumevano l'intero e immane mistero buffo del mondo. Dunque. Primo atto: un uomo tenta una rapina in un negozio. Il commerciante tira fuori una pistola, il ladro scappa, il pistolero esce dal negozio, spara e lo stecchisce. Il ladro cade, morto, ai piedi di un albero, a pochi metri davanti al negozio (e fin qui è tragedia. E come in tutte le tragedie non sai da che parte stare). Secondo atto. I familiari del ladro vanno a mettere fiori (emessi in modo regolare da un fioraio) ai piedi dell'albero. Lo fanno una volta. I fiori appassiscono. Loro ritornano e ne mettono di freschi. Il rito si ripete finché un giorno gli scappa di mettere anche un po' di mattoni rotti, intorno ai fiori: ne viene fuori una specie di altarino, povero, piccolo, ma ben visibile: nessuna scritta, ma, sempre, fiori freschi (e questa è la parte lirica: ed è chiaro che incominci a stare dalla parte del ladro e dei suoi). Terzo atto. Un signore anonimo prende penna e carta e scrive al giornale locale. E dice: pregiatissime autorità, io chiedo che quell'altarino venga rimosso, perché è un'offesa a chi ha ancora il senso della giustizia, e un ladro è sempre un ladro, e quello che ha sparato è un cittadino che ha fatto ciò che era nei suoi diritti fare (legittima difesa). Non dice che quei fiori sono apologia di reato, ma si vede che lo pensa. E qui è il mondo che si inceppa: la ragione e il cuore si scontrano, la giustizia taglia la strada ai sentimenti, il diritto frana sulla pietà. Che fare? Perfetta Polaroid di un mondo inchiodato a un'aporia irrisolvibile. Ultimo atto. Parla l'autorità, nel senso che l'assessore preposto scrive al giornale locale. E dice: il problema è a monte: Palermo è piena di altarini come quello, e non sono tutti ladri, sono morti e basta. Vogliamo tenerceli, vogliamo rimuoverli? Per il decoro della città sarebbe meglio rimuoverli, ma ci vorrebbe un provvedimento apposito. Il provvedimento non c'è. Adesso vediamo che si può fare. Distinti saluti, viva Palermo. Fine.

La bellezza della favoletta è in quello scorrere tumultuoso e dolce del fiume dell'umano, che tra poesia e tragedia corre e cresce, ed è a un pelo dallo strabordare, perché gli argini del buon senso non riescono più a dargli una direzione. A un pelo dalla catastrofe, il fiume finisce nel mare impersonale della legge, dei "provvedimenti", che tutto raccoglie e tutto svuota nell'oggettività di una norma e nell'infinita eternità di una burocrazia lenta come una marea e immutabile come una risacca. Mare cinico, se si vuole, ma salvifico. Unica via d'uscita, lo si voglia o no.

Più ci penso più penso che è perfetta. Potrebbe averla scritta Voltaire. Il quale, probabilmente, avrebbe avuto la dolcezza di completarne la bellezza con un'annotazione in margine: suggerendo la tenera verità che a scrivere la lettera di protesta non era stato un cittadino qualunque, ma quello della pistola, il commerciante costretto a vivere con un morto nella memoria e un altarino di fiori freschi davanti al negozio.

Benzinaio da grande

C'era sempre, in classe, quello che da grande voleva fare il benzinaio. Il benzinaio? Il benzinaio. Che stupido, pensavi. E invece no. Era un poeta, e in modo incomprensibile a noialtri, il meno stupido di tutti. Era uno che, ancora con le braghe corte, già sapeva annusare il profumo del mito. Lo vedeva, là dove noi vedevamo solo un distributore, e puzza di benzina e mani sporche. Lui vedeva il mito.

Quel che vedeva lui, l'ho visto finalmente anch'io quando mi è finito in mano un libro uscito da poco, che si intitola *Benzina* (l'ha pubblicato Electa). Foto di distributori, latte d'olio, insegne e globi (quelle cose di vetro e poi di plastica che stavano come lampioni sulle pompe, colorati e tondi, con su scritto Amoco, oppure Esso, oppure Gulf: lucciole per serbatoi arrapati). Una cosa storica: dalle prime pompe di inizio secolo a quelle degli anni ottanta. Quasi un secolo di benzinai. Le foto le ha fatte Decio Grassi, facendosi incantare da un museo che prima o poi dovrò andarmi a vedere, il Museo Sirm, via Tirano 18, Palazzolo Milanese. Museo assurdo in un posto assurdo, mi vien da immaginare. Ma comunque. Tu sfogli il libro e ti sale su un'epopea da western, la saga degli ottani, l'epica del carburante. Un mondo, se capite cosa voglio dire. Uno spettacolo.

Forse sarà che uno è venuto su a macchinine e gokart e auto nuove del papà; o forse sono quelle centinaia di film in cui stanno sempre a fare il pieno, in mezzo al deserto o su autostrade a cinque corsie, e intanto che il serbatoio si ingolla dollari e dollari di Gazoline quelli si baciano, si sparano, si lasciano, si uccidono.

Fatto sta che con gli occhi inchiodati su una pompa della Mobil, americana, 1939, quel che vedi non è una pompa Mobil americana del '39, ma il mito. I numerini che contano i dollari e, sotto, quelli che contano i galloni (stanno fermi ma è come se li vedessi scorrere, a due velocità diverse, più veloci quelli sotto, più sornioni quelli sopra, mi ricordo di aver pensato mille volte che era una magia che a un certo punto quell'omino in tuta riuscisse a fermarli entrambi su un totale pulito, cioè non con l'ultima cifra a metà, ma tutt'e due belli puliti, una magia), la farfalla sotto la pallina di vetro con la benzina che ci passava dentro e le faceva girare, la scritta Mobil tutta blu però la *o* era rossa, il cavallo con le ali, il tubo di gomma e la pistola cromata, lontana parente della Colt, è ovvio, come fosse una Colt che ritiratasi dall'attività avesse deciso di rifarsi una vita con un mestiere pulito, in una piazzola sulla Freeway 18, un posto tranquillo, perfino bello, la sera, quando va giù la luce e si accende il globo, sulla pompa, a sussurrare: Mobilgas.

Scemenze, si dirà. Può darsi. Ma a me bastano anche solo i nomi per partire con la fantasia, e con la memoria. Nomi stupendi: Esso (il più bello, con quella "e" minuscola assurda, e l'assurda aria da pronome personale), Shell (ci ho messo anni a scoprire che voleva dire conchiglia, sempre pensato fosse il rumore della benzina quando scorre giù nella gola della macchina), Total (le coccinelle della Total, Cristo, ma se le ricorda qualcuno le coccinelle della Total?), Texaco (aria da western), Fina (la benzina femmina, l'unica), Amoco (non so perché, ma generalmente considerata un po' sfigata). Con un certo rammarico non ho trovato la mitica Api (con Api si vola, e l'imbarazzato sorriso di Mino Agostini a rendere il messaggio definitivamente ironico), che ti ci fermavi proprio solo quando eri alla disperazione, con la spia accesa da anni, e l'ago della benzina così giù, sotto lo zero, che non era più un indicatore, era una supplica.

C'era sempre, in classe, quello che da grande voleva fare il benzinaio. Volevo fargli sapere che ci ho messo un po' ma adesso ho capito, e che è vero, aveva ragione lui. Adesso magari fa l'avvocato perché poi la vita ti rende ragionevole e si porta via tutta la poesia, ma non importa. Se si fa vivo mi piacerebbe regalargli questo libro, che dentro ci sono anche i vecchi distributori di miscela, quelli che bisognava pompare la benzina da una parte e l'olio dall'altra, e tutte le pubblicità della Gulf, e un servizio da tè della Mobiloil, e i vagoni da trenino con su scritto Shell e i compressori per gonfiare le gomme che non sai mai se devi dargli la mancia o basta un grazie. Se lo sfogli in fretta, facendo frullare le pagine col pollice, viene su un'aria che per chiunque sarebbe il libro fresco di stampa. E invece, come lui capirebbe subito, è profumo di grasso, e pneumatico lasciato al sole, e benzina.

Il figlio del vento

Nel gran mare di *soccer* (si dice così, adesso, e sembra un'imprecazione in bolognese) in cui navigano giornali e tivù, provo a far tornare a galla il ricordo di quando sono andato all'Olimpico a vedere uno che non avevo mai visto, dal vivo, e che bisognerà pur vedere, una volta, prima che smetta di volare: Carl Lewis, quello delle otto medaglie olimpiche, quello dello sport pulito, quello in tacchi a spillo per far pubblicità ai pneumatici: il figlio del vento. Lì, a Roma, al Golden Gala, Grand Prix di atletica, 40.000 spettatori, il magico pubblico romano, dice lo speaker con tono da documentario Luce del Ventennio.

Vista dalla tribuna stampa l'atletica è una cosa simile a un pomeriggio all'oratorio. Gente che gioca, di qua e di là, ognuno al suo gioco, e tu non sai dove guardare. Ogni tanto gli oratori si incrociano, con effetti vagamente comici. Per dire: se ne sta come una statua greca, Sotomayor, il cubano che salta più in alto di tutti, fissando l'asticella con una intensità da amplesso telepatico, ed è un duello magnifico e immobile, in attesa dell'esplosione del salto, se non fosse che poi tra gli occhi dell'uno e la fissità orizzontale dell'altra se ne passano scaracollando quelli dei tremila siepi, dei poveracci, al confronto, delinquenti in fuga, diresti, le scarpe grondanti acqua, i crani scheletrici dei keniani, il fazzoletto *grunge* legato sulla tesa di Panetta, le magliette marce di sudore, gli occhi vagamente atterriti. Sotomayor si vede passare in camera da letto l'allegra brigata di sbandati ma nemmeno sembra accorgersene: continua il suo coito privato con l'asticella. Come all'oratorio, quando ti schizzava davanti, la palla al piede, l'ala destra di una qualche partita, e tu neanche lo vedevi perché stavi giocando a figurine (a muro) e ti fosse anche passato un treno, lì davanti, quel che vedevi era solo il Bulgarelli che avevi in mano e il muro. Fatte le debite proporzioni, si intende.

Fatte le debite proporzioni, il figlio del vento scende in pista come se fosse un dio. In maglia rossa e fuseaux neri. Quando capisco che non sono fuseaux ma gambe pure e semplici capisco che l'atletica non si può guardare dalle tribune e scendo giù, facendo finta di essere un fotografo e finendo ai bordi del campo. E così lo vedo, *davvero* questa volta, da vicino. Faccia tirata, gli occhi un po' spiritati, come uova al burro in un piatto nero, muscoli carenati per alte velocità (ancora un po' più su e le chiappe potrebbero tranquillamente servirgli da poggiatesta), gesti calcolati al millimetro come regolati da una coreografia. Gli altri si scaldano: lui volteggia. Si è portato dietro il suo clan del Santa Monica: c'è Leroy Burrell, occhi da Bambi e muscolatura esagerata, c'è Mike Marsh, che sembra Speedy Gonzales, un turbo topo. Ce l'ho proprio davanti, il turbo topo, mentre si sistema i blocchi di partenza con un metro da sarta, limando i millimetri con la serietà di un orologiaio che sistema rotelle e viti. È il primo frazionista della staffetta 4x100. Brutto a vedersi ma quando si ingoia una ventina di metri così per scherzo, per sciogliersi i muscoli, sembra che la pista nemmeno la tocchi. Se ne torna ai blocchi camminando goffamente, con l'aria soddisfatta di uno che s'è fatto una bella sfollata al semaforo. Si risistema giù in quella specie di genuflessione che è come una miccia accesa. Gli impazzisce il diaframma, nei pochi istanti prima del via e nel silenzio pazzesco del microsecondo che precede lo starter riesco a sentire il sibilo da agonia con cui si riempie di ossigeno i polmoni e il cervello prima di sparire lungo la curva e andare a respirare di nuovo cento metri e dieci secondi più in là. Ho ancora la sua immagine negli occhi quando dal fondo del rettilineo parte King Carl, col testimone in mano e 40.000 romani a guardarlo e a urlare. Non c'è gara, a far fuori gli avversari ci hanno già pensato i primi tre staffettisti. Corre praticamente da solo, il semidio, lui contro il cronometro, con quella sua corsa da galleria del vento, non una sbavatura nel profilo da coupé in autostrada, le mani rigide come lame, la schiena dritta come a tavola, gli occhi inchiodati in un unico punto cieco da cui si staccano solo nell'istante dell'arrivo per rimbalzare meccanicamente sul tabellone, alla ricerca del tempo, nemico immateriale e imperturbabile, quattro cifre stampate lassù, quattro cifre che ti possono cambiare la vita. Mette in folle, Lewis, appena tagliato il traguardo, e lascia andare le gambe, come un ciclista in discesa. Sulla spinta me lo vedo arrivare di fronte, e alla fine fermarsi proprio davanti. Non è sudato, non è affannato, sulla faccia ha il grado zero dell'espressione. Il nulla. Per un attimo, prima che lo seppelliscano fotografi, compagni, giudici e gente varia, riesco a stamparmi nella memoria quella strana foto.

L'uomo più veloce del mondo, da fermo, sembra che non esista nemmeno.

Praterie

Prateria, è un libro spesso così, scritto da un indiano d'America che si chiama William Least Heat-Moon. Se uno prende una cartina degli States e la piega a metà, sia orizzontalmente che verticalmente, all'incrocio delle due pieghe troverà il Kansas, e più precisamente una piccola contea che si chiama Chase County. *Prateria* racconta quella particella di America: 3.013 abitanti, un solo giornale, una biblioteca, sessantasei pompieri volontari, sei pompe di benzina, uno sceriffo, un barbiere e un semaforo (lampeggiante). Una porzione di seminulla. Uno spazio bianco nello spettacolare dattiloscritto del mito americano. Solo silenzi, erba, mucche e coyote. Già sembra insensato viverci: pensa scriverci un libro.

Least Heat-Moon l'ha fatto. E gli è riuscito di farlo per 700 pagine. Se l'è girata e rigirata, la Chase County, e deve aver sfinito tutti, a forza di domande, spremendo storie anche dai sassi e ascoltando quella terra fino a sentirne il respiro. Poi si è messo lì e ha disegnato una mappa fatta di frasi, visioni, immagini, notizie, numeri, sensazioni, odori, leggende, destini. Una meraviglia. Ci passi gli occhi sopra e trovi di tutto.

Vado. Citazioni: "Prendete un modello qualsiasi: il Kansas non lo segue", "Qualunque cosa stia per succedere in questa nazione, prima succede nel Kansas", "La geografia combinata col tempo equivale al destino", "La storia è l'espressione sociale della geografia e la geografia del West è violenta", "Il vento è l'unico modo con cui una pianta può far musica", "Qui sembra che l'aria non sia ancora mai stata usata" (epigrafe popolare agli spazi muti e infiniti della prateria), "Non si può cominciare una rivoluzione a stomaco vuoto" (cartello appeso nell'Emma Chase Café), "Il coyote è un'allegoria vivente del Bisogno". Storie varie: i Kiowa calcolavano la propria statura dalla distanza alla quale riuscivano a vedere. Gli abitanti delle Isole Cook avevano un nome diverso per trentadue tipi di vento. Dal vento viene il mare, dal mare la creatura dotata di conchiglia, da questa la roccia, dalla roccia l'erba, dall'erba il bisonte, dal bisonte il cacciatore: gli Indiani delle pianure talvolta invocavano *nonno vento*. Storie di pionieri: Josephine Makemson, che imparò a leggere esercitandosi sui giornali con cui la madre tappezzava le pareti divisorie della loro baracca. Stephen F. Jones, che si compra l'unica collinetta in mezzo alla prateria: per possedere l'orizzonte. Le prime cassette delle lettere dei primi pionieri: erano dei sassi posati sul ciglio della strada, con su scritti i nomi delle famiglie: alzavi il sasso e ci pizzicavi sotto la posta. Storie di animali: "La volpe dimostra tutta la propria genialità nel modo in cui si libera dalle pulci. Essa infatti si immerge lentamente in uno stagno con un bastone in bocca, e man mano che l'acqua sale le pulci si arrampicano nelle zone asciutte del corpo. Infine, quando in superficie resta solo il bastone, le pulci abbandonano la volpe sommersa e si rifugiano sul pezzo di legno. Allora la volpe molla il bastone e abbandona le pulci al loro destino".

Potrei andare avanti ancora per sei Barnum. Ma era solo per fare un esempio. E poi le storie più belle non sono di poche righe, e vale la pena leggersele per intero (quando arriva il tifone, ad esempio, o come vive il coyote, o quando costruirono un treno per il Messico, o...). Mentre leggi viaggi, mentre viaggi vedi, mentre vedi ti decolla la fantasia.

E intanto impari una cosa. Che a saperlo guardare, qualsiasi schifoso pezzo di terra è un poema epico, e un testo sacro, e un canzoniere d'amore, e un atlante di idee. Io non l'ho mai vista la Chase County. Ma è evidente che lì non c'è nulla, prateria e basta, qualche casa, gente pazza, animali pazzi, erbe pazze, tifoni, cavallette e inondazioni. Un passaggio a vuoto nella meraviglia del creato. Eppure. A saperlo guardare... "Una mappa in profondità," ha chiamato Heat-Moon il suo libro: un viaggio da fermo. Una esplorazione *dietro* al visibile, *sotto* l'evidente, *alle spalle* del già visto. È un modello di viaggio che suona strano, e diverso: qualcosa come stare immobili in un posto e sprofondare in quella terra, a poco a poco, sotto il peso della pazienza, della curiosità, e del tempo che passa. Suona affascinante. Finisce che ci credi. Che se qualcuno non ti ferma te ne esci, ti metti una sediolina al centro del giardino pubblico più vicino, e inizi ad aspettare. Un'ora, o anni magari, e poi, se quello scaracchio di terra ha un'anima, tu gliel'avrai letta.

Glenn Gould fra le stelle

Prima mettono il nome: Gould, Glenn Gould (Bond, James Bond: uguale). Poi, per far capire, aggiungono: il pianista canadese, morto a cinquant'anni per un colpo apoplettico. (Nella mente dei giornalisti essere canadesi e morire un po' prima sono due cose che fanno notizia.) La verità tuttavia è che lui non era, propriamente, un pianista giacché ciò che fece non fu mai, propriamente, suonare un pianoforte ma, per così dire, *pronunciare* la musica, direttamente, usando sì il pianoforte, ma come mezzo e non come fine, come *strumento* appunto, ma nel vero senso della parola. Lui *diceva* la musica. Rendeva udibili invisibili operazioni mentali. Quando suonava lui, il pianoforte, propriamente, cessava di esistere, in quanto tale: diventava protesi in legno della sua mente. *Musicista* canadese, quindi: non pianista, per favore. Sarebbe come dire Baggio, Roberto Baggio, centravanti italiano. Macché centravanti...

Su Gould, Glenn Gould, hanno fatto un film, che s'intitola *Trentadue piccoli film su Glenn Gould*, ma che è, appunto, un unico film: su Gould, appunto. Dato che è un film intelligente (non americano), se uno già non sa tutto di Gould non capisce niente. Se sa già tutto, guarda e se la gode, concimando il proprio mito e la propria devozione allo stesso. Io me ne sono uscito portandomi via tre oggetti ricordo, da mettere sull'altarino. Il primo è un signore che era stato intervistato da Gould, alla radio, su non so più che argomento, forse qualcosa di geografico, il fascino del grande Nord, qualcosa del genere. Comunque. Lo intervistano di nuovo, quel signore, e lui si mette a raccontare che quel gior-

no, alla radio, Gould l'aveva lasciato parlare, non inter-
rompendolo quasi, ma per tutto il tempo, mentre lui
parlava, l'aveva *diretto*, voglio dire (voleva dire) gli gira-
va intorno muovendo le braccia come un direttore d'orchestra, dandogli il tempo, dirigendolo come se fosse
musica, quello che sentiva, e non parole. E di fatto, c'è
da scommetterci, quel che lui sentiva – lui Gould,
Glenn Gould – era musica e non parole, del cui significato non doveva fregargli proprio niente, essendo il loro suono, e solo quello, ciò che lo stregava. E allora ho
pensato cosa dev'essere la vita per uno che vede la musica dappertutto: che razza di babelico concerto. Inso-
stenibile, alla lunga. Ho pensato alla voce che annuncia
l'arrivo dei treni alla stazione, allo sciacquone del cesso,
ai tuoni d'estate, alle frenate che senti dalla finestra e
poi vai a vedere, all'acqua che sgasa quando sviti il tap-
po: tutta musica, per lui. Come si fa? È come se ti avessero perso in una partitura mahleriana. Prima o poi ne
muori. Lui ne morì. A metà tra il prima e il poi.

Seconda cosa: le medicine. Uno dei trentadue piccoli film è il catalogo (incompleto eppur già impressio-
nante) delle medicine che prendeva Gould. C'è di tutto,
con forte prevalenza di sedativi e barbiturici. Se gli facevano l'antidoping dopo l'incisione delle *Variazioni
Goldberg* finiva che gli annullavano il record. Lui, che
negli ultimi anni non stringeva neppure più la mano alla gente, perché terrorizzato dai virus, si uccise, in qualche modo, a colpi di farmaci. Credo che giocasse con la
propria pressione sanguigna come con una pallina da
ping pong: al posto delle racchette usava pillole dai nomi spaziali. A un certo punto, una schiacciata gli deve
esser finita fuori. Adieu, Monsieur Gould.

L'ultima cosa è una cosa che già sapevo e che pure
quando ho risentito, lì al cinema, mi ha perfino commosso, a tradimento, non so perché, deve essere il caldo, o la stanchezza, forse ci vorrebbe un po' di vacanza.
Insomma, quel che è successo è che a un certo punto gli
americani hanno spedito nello spazio una navicella a
perdersi nell'infinito e a cercare d'incontrare qualche
altra civiltà. Nel caso gli fosse andata di culo, caricaro-
no a bordo un po' di cosette per far capire a quelli là chi
siamo noi (se non ricordo male, c'era un disegno di

Leonardo, forse una bottiglietta di Coca-Cola, il teorema di Pitagora, cose così). Be', in mezzo a quell'armamentario, misero anche la registrazione di un brano musicale: secondo me dovevano metterci *Love me tender*, ma quel che fecero fu in realtà di metterci un *Preludio* di Bach, una cosettina di un paio di pagine, una cosa che si suona dopo il primo anno di lezioni, un hit dei pianisti da tinello. Ma lassù, nell'infinito, la mandarono suonata da Glenn Gould. C'erano migliaia, milioni di pianisti al mondo tra cui scegliere. Scelsero l'unico non pianista. Ed era lui. Sono strani, gli americani. In mezzo a tante fesserie, ogni tanto ci azzeccano.

Adesso da qualche parte dell'universo, ci sarà qualche coso molliccio con le antenne verdi e gli occhi sul sedere che ascolta e riascolta quella roba chiedendosi chi sarà mai quello lì, che suona.

È Gould, compagno. Glenn Gould. Vieni giù, dài, che ti spiego.

Mai un dio è stato meno dio

Si chiamava Giovan Battista di Jacopo, ma lo chiamavano il Rosso Fiorentino. Pittore. Essendo nato nel 1494, adesso lo si festeggia, approfittando della prodigiosa coincidenza che vide in quell'anno nascere un altro geniaccio e cioè il Pontormo. Si festeggia soprattutto in Toscana, dove i due si guadagnavano il pane raccontando a modo loro di santi, martiri, madonne, angeli e dèi. Con un'idea inquieta, tutt'e due, di cosa fosse la bellezza, una di quelle idee che non sa riposare su se stessa ma deambula per i nervi e senza riuscire a dimorare in qualche olimpica immobilità si sperde (e disperde) in volti paesaggi cose che si avvitano in una qualche fuga. E, nel fuggire, svaporano, per incidente, bellezza.

Così la notizia è che se uno prende la macchina e si fa un giretto tra Firenze, Empoli, Volterra, Sansepolcro, e giù da lì, può, se vuole, inanellarsi una serie di pale, quadri, affreschi che di quei due celebrano l'anomala grandezza. Viaggio che avrei fatto se non continuasse a sembrarmi, il gesto di guardar quadri, un piacere arrestato, interrotto, e, in fin dei conti, esasperante, per la ragione – che a me sembra inconfutabile e che cerco di spiegare con parole semplici – che il quadro la sua bellezza in gran parte se la tiene per sé (lo si sarà certo notato), te la annuncia e poi se la riprende, erigendo tra sé e lo spettatore un subdolo fossato che ti tiene a distanza, vietandoti il piacere di possedere davvero quello che ti sta offrendo. Così che ogni quadro è in definitiva una promessa non mantenuta, e ogni museo una intollerabile via crucis di promesse non mantenute. E *davanti a un quadro* è uno dei posti migliori in cui esperire il sentimento dell'impotenza.

Stando così le cose, guardare i quadri è un'attività che conviene centellinare, per non farsi travolgere da quell'impasto di goduria e frustrazione a cui solo anime sottilmente perverse possono sopravvivere. Così la macchina l'ho presa, ma per finire davanti a un quadro, uno solo, per limitare i danni e per combattere quella lotta silenziosa solo su un fronte. E dopo un bel po' di chilometri sono arrivato alla Pinacoteca di Volterra dove sali una scala, giri a destra, alzi lo sguardo e lui è lì. Il quadro. La *Deposizione* del Rosso Fiorentino. Una meraviglia.

Già il titolo è bello. *Deposizione* è una parola dolcissima, ed è un vero peccato che sia usata anche dal gergo giuridico e da quello storico (il re deposto). La sua stanca eleganza andrebbe riservata al gesto di staccare un Dio dalla croce e farlo scendere, lentamente, fino a posarlo a terra. Deposizione. Nella vicenda evangelica inquadra un istante che ha del meraviglioso: mai un dio è stato meno dio. È l'utopia cristiana più vicina all'annientamento. Il Cristo flagellato e crocifisso è una figura eroica, il Cristo morto è già un mito: ma in quell'istante di transizione quello è solo un cadavere che casca da tutte le parti, tra le braccia di quelli là in bilico sulle scale, pesante e finito. Che sia durato un minuto o un'ora, è quello il tempo in cui l'idea Risurrezione è stata poco più che un alito debolissimo. Doveva pensarla così anche il Rosso Fiorentino, se si prese la briga di togliere a quella triste procedura tutto l'alone sacro che avrebbe potuto avere e di raccontare una faccenda tremendamente complicata, con gente che urla, che sale e scende sui pioli delle scale, che imbraccia quel corpo come può, e pasticcia, e tribola, e si affanna. Ne mise quattro, lassù ad armeggiare, cinque col cadavere, e tutti e cinque li arrestò in posizioni che non avrebbero potuto durare un istante di più (*frames* di movimenti in bilico tra un prima e un poi che non vedremo mai) e che pure sono lì immobili da quasi cinquecento anni, come un eterno respiro mozzato, mai respirato, una memorabile asfissia narrativa.

Uno ci passa un bel po' a girare con gli occhi in quel groviglio e a sentire (si sentono le urla e i rumori, giuro), poi scende alla metà inferiore del quadro, e lì trova un altro mondo. Maria, due donne che la sorreggono, Maddalena, Giovanni e un ragazzetto che tiene su una scala. Maria col viso terreo, schiantata dal dolore (non era che un alito debolissimo, la Risurrezione), Giovanni un po' troppo in posa, con il viso tra le mani, e poi il ragazzetto che regge la scala ma come tutti quelli che reggono una scala non bada a quel che fa ma si gira a guardare, e quel che guarda è ciò che tutti avrebbero guardato, non la Madonna, non Giovanni, non la croce: Maddalena. Sono sempre bellissime le Maddalene nelle deposizioni: macchie di rosso fuoco inginocchiate ai piedi della croce, esplose in un gesto di disperazione, coi capelli d'oro che fiammeggiano come un grido. Quella del Rosso Fiorentino è più composta del normale, è come un urlo sottovoce. I capelli li tiene elegantemente raccolti sul capo, e tutto il dolore lo disegna nel gesto con cui allunga le braccia cercando il corpo di Maria. Però, anche così, come tutte le Maddalene, brucia: senza velo, con un vitino da vespa stretto da una fascia d'oro, e il vestito rosso che si apre sulla schiena e scopre pelle e pizzi, e le braccia sottili, e quel po' di volto che s'intravede bello, di una bellezza nemmeno sfiorata dalla tragedia. Così bello per chi?, mi sono sempre chiesto. E perché, così bella, in quell'istante?

Valzer, polke, mazurke, tanghi e melanzane

Quando gli chiedevano cosa davvero gli piaceva fare nella vita, Céline borbottava che a lui piaceva andare nei porti a vedere le navi partire e le navi arrivare. Lo faceva impazzire, quella cosa lì. Diceva che avrebbe potuto passare la vita, la vita intera, a guardarle. Non c'è bisogno di essere un genio del Novecento per avere una cosa, nella vita, che si starebbe a guardare per tutta la vita. Tutti ce l'hanno. La mia è il ballo liscio. Io, quelli lì, che stanno a scivolare come dèi al ritmo di agghiaccianti mazurche, li starei a guardare per sempre. Così, una domenica, sono andato a Borzonasca, sconosciuto paesetto della Liguria.

A Borzonasca, diceva il "Secolo XIX", quotidiano ligure, nell'ultimo week-end di vera estate c'è la Sagra della melanzana ripiena. Abbuffate, lotteria e soprattutto: danze. Ci sono arrivato che era già buio, ma era impossibile perdersi, bastava seguire, come una cometa, la nube di fumo all'odore di salsiccia che si alzava dal reparto abbuffata. Sul menu di cartone attaccato vicino alla cassa, c'era di tutto, tranne le melanzane. Forse le regalano, mi son detto, dimenticando di essere pur sempre in Liguria. Quando ho chiesto chiarimenti, la cassiera ha alzato gli occhi al cielo e ha confessato che da dieci anni – dieci – non fanno più la sagra della melanzana, ma quelli del "Secolo XIX" non l'hanno ancora capito. "Sa come sono i giornalisti."

So: vada per la salsiccia. Adesso mi è rimasta la curiosità di sapere com'è che un giorno, a Borzonasca hanno deciso di farla finita con le melanzane: non tiravano più? c'è stata un'epidemia che le ha fatte fuori tutte? gli è venuta una nausea bestiale che solo a nominarle stavano male? Non lo saprò mai. Anche perché, al momento di chiederlo, ho intravisto i ballerini, e non ho capito più niente.

I musicisti erano tre, e raccontarli sarebbe un altro Barnum, glissiamo, però si chiamavano Arcobaleno e alle tastiere, con mocassino e calza bianca, c'era uno con voce da soprano che diceva delle cose che, glissiamo, sarebbe un altro Barnum. Davanti, in non più di 50 metri quadri, i ballerini. E lì risulta evidente la prima, mirabile caratteristica del ballerino di liscio: l'abilità nel lavorare in spazi stretti. Considerato che il suddetto ballerino ha spesso notevoli proporzioni, e che le coppie in pista non sono mai meno di trenta, ci sarebbe da prevedere un inevitabile ingorgo. E invece niente. Sgusciano come saponette, senza perdere un passo, come guidati da un ordine trascendentale che ne ha disegnato le traiettorie, una volta per sempre, come se fossero destini: e invece è solo abilità, abilità diabolica.

Analogamente ai giocatori di bocce, i ballerini di liscio danno l'impressione di essere sempre gli stessi. Quello che boccia, per fare un esempio, è un tipo umano costante, che ritrovi su qualsiasi campo uguale. Magari uno ha i baffi e l'altro no: ma più probabilmente è sempre lo stesso che ogni tanto se li taglia, per confonderti le idee. Sulle piste del liscio trovi sempre uno che balla da dio, tiene la camicia sbottonata sul petto, ha un anello brillantato al dito, da fermo non pesa meno di 90 chili, ma quando balla ne pesa sì e no una ventina. Trovi sempre le stesse due pensionate che ballano insieme, immaginando chissà che balli. Trovi la coppia in cui lui arriva al mento di lei, il papà che balla con la figlia, e la signora di cinquant'anni che cambia ballerino a ogni giro e per il trucco si orienta ancora sulla Mina degli anni ruggenti. Li guardi e ti sembra di averli visti da sempre.

Di solito iniziano col valzer, che è solo un assaggio. Lo spettacolo decolla davvero con mazurke e polke, sa dio come fanno a scivolare così, sembra che abbiano le ruote. Ogni tanto si arrischia qualche beguine o *paso doble*. Ma quel che davvero mi fa impazzire, è il tango. Perché il tango, poche storie, è il sesso. Fin dalle prime note, è già sesso. E allora è meraviglioso, perché dalle ceneri di chissà quali stantii matrimoni, torna su la memoria di qualcosa di rovente, e inizi a vederli, quei ballerini che a tutto ti farebbero pensare tranne che al sesso, inizi a vederli trasformarsi, spariscono pance, rughe, nasi aquilini, occhi da carpe, vestiti impossibili, occhiali spessi così e d'improvviso diventano bellissimi, tutti, mentre gonne e pantaloni sfregano ad arte passi impeccabili, e le facce si pietrificano in un'espressione di definitiva solennità, gli occhi di lui stampati sul volto di lei (bellissima, per quei tre minuti) e gli occhi di lei stampati cento chilometri al di là del volto di lui, esattamente là dove guardano le donne bellissime quando un uomo, che le vuole, le guarda. Con infiniti sforzi, uno potrebbe magari imparare i passi: ma non quegli sguardi. Quella è classe, e viene da lontano.

Alcuni, ma non tutti, si concedono, alla fine, il cascè. Classe pura. Per dire: io non so nemmeno come si scrive.

Dopo Berlinguer

A ripensarci, aveva di bello anche il nome: Berlinguer. Chissà come ci sono finite la guerra e Berlino, in quel nome lì. Che se metti l'accento sulla prima "e" sta sull'attenti, ma se lo fai scivolare sulla seconda, sorride. Duro e mite, come era lui, l'uomo che stava sotto al nome. Ci sono stato un bel po' a guardare le sue foto, grandi come manifesti, messe in fila alla Festa nazionale dell'"Unità", tutte in bianco e nero, bellissime. Non giravano mica, quelle foto lì, quando lui era vivo e Segretario; coi capelli incasinati, gli impermeabili che gli cascavano da tutte le parti, gli occhi allegri. La retorica del capo prevedeva un altro contegno. E per anni ce lo siamo beccati triste, serio e piovoso. E invece. Non me ne intendo molto, ma sembra perfino bello, di quella bellezza da star del cinema anni quaranta, sarebbe stato un Marlowe perfetto. Tutt'intorno a lui senti un muro di nostalgia fitto come la nebbia della Bassa. Per molti è stato, ai tempi, l'uomo per cui si poteva votare comunista senza esserlo. Acrobazia mica male. Io me lo ricordo alla tivù, messo contro non so più che notabile democristiano, con la faccia di uno che avrebbe volentieri evitato quel varietà, mezzo annegato tra decine di fogli, accartocciato sulla sedia, coi capelli bene in ordine e pochi sorrisi. Lo guardavi e pensavi: che meraviglioso modo di perdere. Adesso, guardando quelle foto ti viene in mente che era anche un tipo con cui si poteva, magari, provare a divertirsi vincendo. Ti vengon sempre troppo tardi, certe idee.

Tutt'intorno ai suoi occhi allegri, oltre alla nostalgia, c'era il popolo ex comunista, a Modena, tra stand da conti in rosso, sotto una pioggia da giorno dei morti. Era il giorno del gran comizio finale, sacra rappresentazione immarcescibile. Era il debutto di D'Alema come Segretario. Gente a migliaia, nel pratone e nei viali intorno, in un rito collettivo che sopravviverà a qualsiasi sconfitta, è evidente, da lì non li smuoverà nessuno. Come non si smuovono i notabili del partito, schierati tutti sul grande palco giallo, seduti in fila, con un effetto visivo che ricorda tristemente certe parate da Mosca d'altri tempi. Ma è proprio necessario quel défilé di mezzibusti? Non che sia un modello perfetto, ma, per fare un esempio, avete mai visto Clinton parlare con tutti i dirigenti del partito democratico schierati al fianco? È vero che lui si porta sul palco moglie e figlia, ed è ridicolo: ma è meno inquietante, no? Comunque. In quella triste cornice è andato Veltroni, al microfono, e ha parlato. Riuscendo a far dimenticare la triste cornice. Uno lo sente e capisce com'è che, via fax, il popolo ex comunista avesse scelto lui.[1] Perché dice le cose, non il loro nome nella lingua della politica. Perché sa raccontare, e il futuro non è un teorema da risolvere ma una storia da inventare. Perché quando fa una battuta fa ridere. E perché quando arriva alla fine delle sue sette cartelle, posa i fogli e senza troppi avverbi e anacoluti butta lì che lui vuole vincere, e in culo tutto il resto (in culo tutto il resto non l'ha detto: io però l'ho sentito lo stesso). Poi è sceso, e ha provato ad abbracciare D'Alema che però non è riuscito ad abbracciare perché in mezzo c'erano fotografi a decine che volevano immortalare l'abbraccio, e anche questa è una storiella che avrebbe la sua morale, ma lasciamo perdere.

Sedato l'ingorgo, sale al microfono D'Alema. Legge il suo testo con lentezza implacabile e si capisce subito che non è tanto un discorso, quanto una partita a scacchi: un'esibizione strategica di intelligenza. Ha davanti migliaia di persone ma per metà del tempo parla a Buttiglione, a Orlando, a Bertinotti, a Bossi, a Segni, a Fini. Lancia messaggi. Fa politica. Ogni tanto la gente si ag-

---

[1] In commovente slancio democratico, si era ventilato, per un attimo, che il nuovo segretario del Pds, dopo la trombatura di Occhetto, potesse essere eletto dalla base. Poi tutto finì in una consultazione via fax. Vinta da Veltroni.

grappa a qualche frase che suona vagamente più sciolta e parte con l'applauso. Ma di rado. Più che altro sembra godersi la sicurezza inossidabile di quella cantilena, che sa di forza, e di rocciosa ostinazione. Artiglieria pesante: chissà se è l'arma giusta per la battaglia che verrà.

Alla fine, comunque, quello che mi è rimasto in testa, oltre agli occhi allegri di Berlinguer, è una immagine, e non un pezzo di discorso. Mi è rimasto in testa un pullman. Fermo nell'imbottigliamento della fine, pieno di compagni arrivati da non so dove. Tutti, mi immagino, un po' suonati dalla giornata di freddo, di piadine e di parole. Dal vetro di dietro ce n'era uno che salutava la gente a piedi, sventolando il caro vecchio pugno chiuso. Tutto molto normale. Solo che era sera, ormai, ed era buio: e così, a guardar da fuori, vedevi dentro il pullman una luce irreale, a lampi, che sciacquava le facce di tutti con strani flash multicolori. Sembrava una discoteca. Era un televisore. Un bel televisore acceso montato davanti, sulla testa del guidatore. Non credo fosse sintonizzato su una qualche Tele Modena; e quindi, dopo le ultime nomine, non poteva che essere un canale di Berlusconi.[2] Me li son visti sfilare via, i compagni, chiusi nella loro cabina ad abbronzarsi ai raggi Uva del Grande Fratello. E neanche i pullman dei cecoslovacchi in gita a Venezia mi sono mai sembrati così tristi.

[2] Il Polo delle libertà aveva poche ore prima finito di prendere possesso delle tre reti Rai.

Il minimo della musica

Non so se avete presente la musica minimalista. Ufficialmente l'hanno inventata gli americani (due nomi, per capirsi: Philip Glass, Steve Reich). Ufficialmente sta nel reparto musica colta contemporanea, ma vicino ai bordi, dove incomincia a sentirsi odore di musica leggera. A volerla spiegare in parole, è un tappeto musicale immobile che però si muove e lo fa per microspostamenti ritmici e armonici, ed è capace di andare avanti così per ore. L'assetto è generalmente tonale, cioè non sentite dissonanze e siete in grado di apprezzare i rapporti che legano un suono a quelli che lo precedono o lo seguono. Difficoltà d'ascolto istintiva: starsene lì pensando ad altro. Non perché si è scemi: perché è inevitabile e giusto. Quella è musica-tappezzeria: pretende lo spazio e il tempo che essa decora e racchiude. Inchiodato in una poltrona, nel silenzio obbligatorio di una sala da concerto, non è che hai molto con cui arredare: ti restano i pensieri. Strana sensazione: costretto a pensare. Così uno si siede, guadagna un po' di tempo guardando gli strumentisti, dà un'occhiata al programma di sala, e poi inizia. Di solito col lavoro: fare questo, fare quello, si compilano volonterose agende mentali. Poi si vira sul filosofico, con qualche acuta riflessione sul senso della vita, destinata a sfociare in qualche attenta analisi sulla propria vita sentimentale, cosa che induce ben presto a deviare sul reparto "varie": la crisi del Milan, chissà se è arrivato quel bonifico, dove ho messo la ricetta del Tavor, potrei spostare la scrivania più a destra e togliere lo stereo da perterra, chissà come finisce alla Rai, che giorno è oggi, Cristo, le pizzerie sono chiuse. E lì, fosse per noi, si sarebbe anche finito. Ma lei, la musica, implacabile, continua. Qualsiasi tentativo di appaltarle la gestione del nostro cervello è vano: tappezzeria è, e tappezzeria resta. Indecifrabili, gli strumentisti insistono nella loro gestualità ripetitiva da catena di montaggio, negando anche agli occhi il minimo pretesto di evasione. Non c'è santo, tocca ricominciare. E lì si finisce per raschiare il fondo del barile: ma Bugno è un drogato o no? Michelle Pfeiffer quanti anni avrà? quest'anno giuro studio l'inglese, ma guarda là, il mio vecchio prof di ginnastica, cosa diavolo è sto cd rom? dovrebbero fare delle calze che si autorammendano, ma che ora è? Applausi. Fine primo tempo. Imbarazzante certezza: ce ne sarà un secondo.

Dico tutto questo perché quest'anno Settembre Musica ha innalzato il suo tradizionale altarino a un autore contemporaneo scegliendo Steve Reich: con dieci anni buoni di ritardo. Dieci anni fa, quando le avanguardie erano ancora un totem indiscutibile, scegliere Steve Reich, ascoltarlo, vederlo, pagarlo, sarebbe stato come una breccia salutare nel muro di una ortodossia rovinosa. Lui, con la sua musica minimalista e le sue armonie da Beyer: una bestemmia salvifica. Un cosa da squarciarti la pigrizia con cui ti bevevi tutto il resto. Ma adesso?

Adesso è tardi. Perché ha un senso incantarsi davanti a *The Cave*, intrigante opera multimediale dell'ultimo Reich, che ti viene a stanare il cervello e te lo prende in ostaggio intanto che ti lavora occhi e orecchie, e non potresti pensare ad altro neanche se volessi: vista al Regio, è sembrata la cosa più bella di tutto il festival. Ma non ha molto senso assistere, con la stessa inerzia con cui si bevevano i totem di ieri, a mezze ore di microspostamenti sonori brulicanti in un vuoto pneumatico di idee. In uno dei concerti di contorno, sono arrivati sei pianisti inglesi a sciorinare i lavori di qualche nipotino di Reich. Ce n'era uno che si intitolava *Sextet* (anche lì, non è che si sia proprio scervellato). Autore: Chris Fitkin. Sembrava uno standard da Hit Bontempi, per fare capire come funziona l'aggeggio. Alla fine, applausi. Come applausi? Applausi? L'ho già visto questo film. È la stessa supina soggezione che fino a ieri proteggeva le acrobazie narcisistiche di una musica inaccessibile. Adesso mitizza l'assolutamente semplice, per vendetta, immagino. O per quel culto del nuovo che, qui come altrove, si è sostituito per comodità all'esercizio della riflessione. Forse sarebbe il caso di avvertire il gentile pubblico che quella roba lì non è mica poi tanto nuova, anzi, è vecchiotta, e spesso scaduta. La stanno servendo adesso perché in cucina sono un po' lenti. Ma quella roba bianca sopra non è zucchero vanigliato. È muffa. E tutti lì a dire: che buona, sa di funghi.

Carmina Burana

Ogni tanto, dall'austero grembo della musica colta scivolano via brandelli di repertorio per andare a popolare i tinelli dell'anima della gente tutta: escono dalle sale da concerto e si trapiantano nelle quinte sonore di ristorantini a lume di candela, spot di profumi, hall d'albergo, sale d'aspetto di dentisti e musichette telefoniche "la metto in attesa". Una morte lentissima e desolante: non si uccidono così nemmeno i cavalli. Hanno ucciso così il *Bolero* di Ravel, la *Primavera* di Vivaldi, *Per Elisa*, un bel po' di Čajkovskij, la *Barcarola* di Offenbach, la *Cavalcata delle Valchirie*. Non se lo meritavano. Hanno ucciso così i *Carmina Burana*: se lo meritavano eccome. C'è sempre un momento, nella vita, in cui ti piacciono i *Carmina Burana*. Poi passa. E inizia un rancore lungo anni: quello che si ha per chi ci ha fregati. Io lo coltivo da una decina d'anni: dall'ultima volta che ho sentito *O Fortuna* (il coro iniziale) senza che mi venisse la nausea. L'altro giorno, in considerazione anche del fatto che "occorre guardare con rinnovato rispetto alla cultura di destra", sono andato al Carlo Felice di Genova dove, proprio con i *Carmina Burana*, si inaugurava la stagione sinfonica. Lo sdegno è un po' come le auto: ogni tanti anni deve passare la revisione. Sono andato a revisionare.

Naturalmente ho aperto il programma di sala e alla sesta riga l'estensore già si stava arrampicando sui vetri per spiegare che Orff non era nazista, che i *Carmina Burana* a Hitler non piacevano e che quella dunque è musica rispettabile e perfino raffinata, e a dirla tutta bellissima. Ancora qualche mese e simili penose acrobazie risulteranno sicuramente meno urgenti, visto che Mussolini fino al '38 era un ottimo statista,[1] ecc. ecc. Ma comunque. Parte *O Fortuna*, il brano che tutti i coristi e i timpanisti del mondo si sognano di notte. Decibel a quintali, ritmi barbarici. Brividi alla schiena, e non potrebbe essere altrimenti. Nausea. Idem. I nervi ci stanno, la mente si ribella. Stesso fenomeno che scatta davanti a certi acuti pucciniani e a certe alluvioni mahleriane. I nervi godono, la mente o la disattivi o non si fa fregare, lei. E si accorge benissimo di quel che manca, radicalmente e totalmente, in quella valanga di suoni: l'innocenza. È così poco innocente quel sabba ritmico che quando attacca il coro di voci bianche (c'è anche quello) l'immagine che ti viene in mente è una, e precisa: le due agghiaccianti gemelline di *Shining* (Kubrick il grande). Versi in latinorum, parodie goliardiche, doppi sensi, ritmi barbarici, armonie arcaiche, melodie simil sacre, libidine dell'orrido e soprattutto grasse emozioni a basso costo: ecco serviti per le famiglie della bella società cento minuti di sana ebbrezza pagana, nella luce vivida di una incorrotta civiltà primitiva. Magari non era nazista, Orff: ma se uno, nel 1936, in Germania, concepisce e realizza un progetto del genere, cos'è? Come bisogna chiamarlo?

Non me n'ero mai accorto, me ne sono accorto lì, al Carlo Felice: le prime note del *In taberna* sono pressoché identiche a quelle, inconfondibili, su cui cantano certe tribù postmoderne: "Chi non salta bianconero è, è". Sono cortocircuiti come questi che irretiscono la mente (i nervi, loro se ne fregano, e continuano a godersela a ogni esplosione di gong, grancasse ugole e timpani): non saprei dire cosa, ma qualcosa significherà. Sono parentele, orbite, traiettorie. Bisognerebbe saperle leggere. Un'altra, sorprendente, mi si rivela quando il direttore d'orchestra, nel bel mezzo del bis (di nuovo il grottesco *In taberna*) si gira verso il pubblico e si mette a dirigerlo istigandone la collaborazione. Preso alla sprovvista, il pubblico genovese inizia a battere il tempo con le mani, probabilmente un riflesso da teleutenti, la vediamo tutti gli anni nel concerto di Capodan-

---

[1] Cfr. Gianfranco Fini, ai tempi ancora missino.

no, quella cosa lì, e a Vienna battono le mani. La mente si scatena: Vienna, i valzer, Strauss Johann, Strauss Richard, nazismo, Vienna, la gaia apocalisse, le osterie di Grinzing, i goliardi di Orff, quella Germania lì. Gira tutto in circolo, come una costellazione che vorrebbe dire qualcosa, ma insieme tacerlo. Difficile da decifrare: ma la guardi ed è lì. Non c'è santo. Non puoi far finta di non vederla.

Non so. Però so che quando uno sente *La Sagra della primavera* (per rimanere ai revival del barbaro) quel che sente è paura. E i nervi per primi se ne accorgono: non c'è bisogno neppure di connettere la mente. Già loro hanno capito tutto. Paura. Voglia di scappare. Penso a quella paura e la metto accanto al lieto clima da Bierstübe che si ritagliano intorno i *Carmina Burana*: allora capisco: passata la revisione. Lo sdegno è ancora quello di un tempo. Se mi danno altri dieci anni, per altri dieci anni quella musica mi farà venire una leggera nausea. Rassicurante certezza.

Il popolo del balon

Una di quelle giornate che c'è molta luce ma non un'ombra, luce senza sole, se ti chiedono a bruciapelo che tempo fa, non sai cosa dire. Sembra che Dio abbia deciso di economizzare, e di accendere i neon. La strada sale e scende per le colline, avvoltolandosi in un'orgia di curve subdole e micidiali. La patria della Xamamina. Ma anche del tartufo, del vino e delle nocciole. Le Langhe. È una domenica senza football, ma io sono lì per il pallone. Per un altro pallone. Quello elastico. Finale del campionato italiano a Cortemilia: squadra locale, a un passo dallo scudetto, contro Taggia, vittima sacrificale.

Il pallone elastico è uno di quegli sport che nel linguaggio di Berluscolandia si chiamerebbero sport "di nicchia". Tradotto vuol dire che lo giocano in pochi, e per sempre lo giocheranno in pochi. È una faccenda che riguarda la Bassa Langa e qualche frangia di Liguria, quelle in cui il mare non c'entra niente. Il resto del mondo se ne frega. Il campo è lungo un centinaio di metri e largo una quindicina. Su uno dei lati lunghi sta il pubblico. Sull'altro, quel che c'è c'è, l'importante è che la palla ci possa rimbalzare. A Cortemilia c'è una grande inferriata e un pezzo di casa, con le finestre con la grata, per non falsare più di tanto i rimbalzi. Sembra di stare nel cortile di un carcere, durante l'ora d'aria. Di base, il pallone elastico (*balon*) si gioca menando delle gran botte a una palla di gomma grande il doppio di una pallina da tennis. Nessun attrezzo: si colpisce con la mano chiusa a pugno, e dove va va. In un altro sport, col tempo avrebbero inventato un guanto o qualcosa del genere, per facilitare l'operazione. Ma questo è uno sport di nicchia. Per cui i giocatori continuano ad arrotolarsi attorno al pugno chiuso una serie di cose tipo fasce, placche di cuoio, tiranti di gomma: tutto quel che hanno trovato nel cassetto, si direbbe. Un pasticcio inestricabile. Ma funziona. Grazie a quel pasticcio e a una sapienza tutta particolare, i più bravi prendono una breve rincorsa, alzano la palla in aria, la colpiscono con una frustata micidiale che sta tra il pugno del pugile e la piroetta del lanciatore di peso, e spediscono la palla 80 metri più in là. Poi, immagino, passano il resto della vita dall'ortopedico.

Si gioca quattro contro quattro. Il più potente dietro, a battere, il più vecchio in mezzo, in cattedra, e due più mingherlini davanti, a giocare di furbizia e d'agilità. Analogamente allo schematismo trascendentale kantiano, il regolamento del pallone elastico sta in poche pagine, e a leggerlo ci metti pochi minuti: a capirlo, una vita. La cosa geniale è che per metà del tempo si gioca non per far punti ma per stabilire le caratteristiche del campo in cui si giocherà per il resto del tempo, cercando di far punti. Chiarissimo.

Tutt'intorno al campo, il popolo del *balon*. L'agricoltore piemontese. Una razza a parte. Da queste parti è più facile trovare l'oro per terra che un'illusione nella testa di chi questa terra la lavora. Scetticismo e diffidenza a quintali. Qui se tieni il cappello un po' di sbieco e hai il vestito marrone invece che grigio sei già un eccentrico. Se sorridi, sei un estroverso. Per cui il pallone elastico è l'unico sport al mondo in cui se non capisci niente non capisci nemmeno quando fanno i punti: perché a nessuno passa per la mente di fare casino, e anche solo di applaudire, o di gridare qualcosa. Si consuma tutto in un quasi totale silenzio. Anche in campo, solo sfingi. Quando azzeccano un colpo da non crederci, abbassano la testa e sulla faccia gli appare la scritta: "Tanto il prossimo lo sbaglio". Gente così.

Poiché, però, ogni brocca ha la sua incrinatura segreta, e ogni muro la sua salvifica crepa, anche il pubblico del *balon* ha la sua debolezza: le scommesse. Si scommette come matti, su tutto, con in tasca mazzette così di centomila, e quando non bastano si passa a scommettere acri di terra. Una febbre sotterranea che brucia sotto il marmo di quelle facce impenetrabili. Un vizio vero e proprio. Durante la partita di andata, a Cuneo, il Cortemilia vinceva così facile che a scommettere non c'era più gusto e allora mica si sono fermati, no, hanno incominciato a far ballare le cento lire, a testa o croce, e giù scommesse. Giuro, me l'ha raccontato il mio vicino: un estroverso, una volta ha perfino riso.

Per la cronaca, la vittoria annunciata del Cortemilia è sfumata nel nulla, perché sul 3 a 4 Dotta, il battitore e capitano della squadra, uno spilungone con delle leve micidiali, ha messo male un piede, ha piantato un bestemmione e se n'è uscito col piede in mano. Da lì non c'è stata più storia. 11 a 4 per il Taggia che aveva perso in casa all'andata e che si ritrova miracolosamente in corsa. Si deciderà tutto a Cuneo, in quella che per qualsiasi altro sport di Berluscolandia si chiamerebbe "la terza dei play off", e qui chiamano ancora "la bella". Quelli del Taggia hanno già detto che aspetteranno: quando Dotta guarirà, si gioca. Roba da non credere.

Quegli otto minuti di Natural born killers

Una volta i film iniziavano piano. C'era il paese sperduto nel West, la vita di tutti i giorni, chi vive e chi muore, ma insomma, una cosa tranquilla: che poteva durare per sempre. La musica raccontava una serenità inattaccabile, e nel saloon si rideva, si giocava e si faceva l'amore. Poi arrivava uno straniero, che parlava poco e che sparava da dio: e lì il film iniziava davvero, nel senso che si scatenava un putiferio dell'altro mondo. Cose così.

Una volta i film iniziavano piano. Da un po' di tempo gli americani hanno deciso che i film non iniziano: si spegne la luce e loro ti esplodono addosso: come se fossero iniziati mezz'ora prima. Così la prima scena è sempre una sparatoria, un assassinio, una gran scopata, una catastrofe. Poche parole, molta azione. E tensione alle stelle. Una specie di spot del film piazzato all'inizio del film: tutto quello che stai per vedere è già lì, riassunto e compresso.

Lo spot con cui inizia *Natural born killers*, l'ultimo film di Oliver Stone, dura più o meno otto minuti. Due giovani entrano in una tavola calda, e massacrano tutti i presenti tranne uno: perché possa raccontare quello che ha visto. Sono otto minuti pazzeschi. Non tanto per quel che si vede: per *come* lo si vede. Inquadrature sghembe, bianco e nero e colori che si alternano, *ralenti*, sovrapposizioni di immagini, colonna sonora a più strati, frammenti di immagini che apparentemente non c'entrano niente (un lupo? un falco?), parlato e immagine non a sincrono, inquadrature deformanti, la luce alle volte naturale alle volte teatrale, la voce dei protagonisti assurda. Il tutto senza un percepibile senso logico: come se avessero girato il film in dieci modi diversi e poi l'avessero montato prendendo un'inquadratura qua e una là, a casaccio. Alla fine la tavola calda è un cimitero: e i tuoi nervi si sono fatti un viaggio vertiginoso. Tiri il fiato e ti sembra di aver visto mezzo film: sullo schermo appaiono i titoli di testa. Non è nemmeno iniziato.

Io, quegli otto minuti, sono tornato a vedermeli: diecimila lire, più di mille lire al minuto, ma valeva la pena. Volevo capire: perché lì è riassunto un modo di fare cinema che non è un bel modo o un brutto modo: è un modo diverso, in qualche modo rivoluzionario. E senza sapere bene cosa, mi sembrava chiaro che c'era qualcosa da imparare.

Sono cose complicate, e non è che sia facile comprimerle in un Barnum. Ma comunque: il fatto è che quelli là stanno abbattendo steccati dopo steccati, e stanno squarciando l'orizzonte della narrazione, e sfondando i muri della percezione: e, insomma, riescono a raccontare una storia con una potenza, un'intensità e una ricchezza di impulsi che è spaventosa. Stanno andando oltre: e non lo fanno mettendo su opere d'arte d'avanguardia, per la libidine di pochi perversi intelligenti: lo stanno facendo con un prodotto popolare, artigianale e culturalmente medio come un film di successo. Dopo lo spot di otto minuti c'è il film che ne dura altri 120: ed è tutto così. La storia che racconta non è nemmeno molto importante, forse è perfino bruttina, un po' scontata: ma come la racconta, questo non è scontato, questo è dinamite, se solo lo si guarda senza moralismi e senza pigrizia intellettuale. Quella è una spettacolarità che non ha paragoni, e che stabilisce una nuova unità di misura: ad essere onesti, bisognerebbe mettersi lì, con santa pazienza, e ritarare tutti i nostri strumenti narrativi. Inventare le ferrovie, quasi duecento anni fa, non cambiò di un metro la distanza tra Liverpool e Londra: ma stravolse l'idea stessa di distanza. I metri erano quelli di sempre, il cervello no. Nessun cervello degno di questo nome esce da *Natural born killers* uguale a prima.

Sarà ingenuo e sciocco: ma io, uscito da lì, ho pensato a quella cosa strana che è scrivere libri o, peggio ancora, scrivere teatro, e ho visto, nitida, l'immagine di uno in bicicletta che insegue un treno. Pigia sui suoi ridicoli pedali, mentre quello là scompare all'orizzonte, e se non ci fossero le rotaie nemmeno sapresti più dov'è finito. So benissimo che non è così, che un libro può andare più veloce di un film di Stone, ma so anche che scriverlo, un libro così veloce, è maledettamente difficile: e dopo *questo* film di Stone è, se è possibile, ancora più difficile. Certo, si può far finta di niente e continuare a scrivere belle storie in bella prosa, con l'unità stilistica, la voce narrante, gli aggettivi tutti a posto, il climax a metà, tutte quelle sante cose che fanno il galateo della buona letteratura. Ma a che serve? E soprattutto: chi ha ancora voglia di eccitarsi per quelle cose lì?

Così sono sceso dalla bici, l'ho posata per terra, e mi sono messo a pensare. Capace che passano cento Barnum prima che mi venga una idea decente. Ma non importa. Sono stufo di pedalare dietro al treno. Ci sarà pur un modo di pedalargli davanti.

Pasolini quando scriveva

Quando Pasolini iniziò a pubblicare i suoi articoli sul "Corriere della Sera", io avevo 15 anni, Pasolini non era tra i miei miti, non compravo il "Corriere della Sera", se l'avessi mai comprato avrei letto probabilmente altre cose, di sicuro lo sport. Poi, per anni, quegli articoli li ho sentiti citare, mitizzare, discutere, esecrare. Ma letti, mai.

Una domenica, a Napoli, compro il "Corriere" e ci trovo un inserto: un mini "Corriere" di 8 pagine: dentro, solo articoli di Pasolini, quegli articoli là. Se ho capito bene era un inserto uscito solo a Napoli, per l'apertura della mostra su Pasolini ospitata dall'Istituto italiano di studi filosofici. Comunque. Ho iniziato dalla prima pagina, così, per curiosità, e sedotto da una bellissima foto con Pasolini in smoking seduto vicino a Moro in completo e cravatta: da non crederci. Ho iniziato dalla prima pagina. Quando ho rialzato la testa era passata un'ora e mezzo: ed ero all'ultima riga dell'ultima pagina. Neanche "Topolino" mi fa più quell'effetto. Inchiodato. Mi rendo conto che arrivo buon ultimo, e fuori tempo massimo: però due o tre cose, su quel che ho letto, devo dirle.

Pasolini scriveva articoli che nel giornalismo di oggi gli avrebbero tirato dietro: pisciate lunghe centinaia di righe, con pochi a capo e nessuna indulgenza per il lettore. Scriveva senza preoccuparsi di scrivere bene: l'urgenza della riflessione si bruciava qualsiasi vezzo estetico. La bella frase non la trovi mai. In compenso trovi periodi lunghissimi e contorti, dove a volte si aprono parentesi come voragini da cui non torni più. Ogni tanto si perdeva e allora metteva un punto e andava a capo: una bella frase apodittica e si riparte. Non voleva sedurre: doveva enunciare la rabbia di qualche sua verità: un misto tra la prosa di Marx e quella dei ciclostilati della sinistra di una volta. Faceva anche un'altra cosa che nel giornalismo di oggi non gli avrebbero passato volentieri: diceva *Io penso*. Non aveva la cautela penosa di dire *Noi pensiamo*, e neppure si andava a cercare quelle orge di modestia appiccicosa tipo *Non sembra illecito pensare che*. No. Io penso. E via. Senza tanti minuetti. E quel che pensava, era pazzesco.

Era pazzesco, innanzitutto, *come* pensava. Pensava volando. Voglio dire: guardava le cose da un punto lontano, in alto: e da lì, perdeva magari i particolari, ma vedeva benissimo le linee forti, lo scheletro della realtà. Vedeva gli italiani come vedi città e paesi passandoci sopra in aereo. Vedeva l'essenziale, e lo componeva in figura logica e sintetica. Questo tipo di sguardo si è perso. I giornali accumulano opinionisti e commenti, su tutto, su qualsiasi iniziativa, di qua la notizia e di fianco la predica. Ma ci fosse uno che scrive volando. No. Tutti impelagati a scrutare i particolari col naso appiccicato alle cose. Prendiamo la politica. Tutti a chiosare l'ultima deambulazione teorica di Buttiglione, o la prossima fregnaccia di Bossi. Come se fosse importante capire. Pasolini, volando, vedeva le cose diversamente: la politica è un effetto, non una causa. Quel che c'è da vedere, e da capire, è la metamorfosi antropologica di un paese: la politica viene poi di conseguenza. Con quello sguardo lì, disegnava teoremi sorprendenti: l'Italia fascista è finita realmente negli anni sessanta, il fascismo è morto per sempre ed è ormai un nome a cui non corrisponde niente, il potere della Dc è un'illusione ottica, governa il vuoto, il paese reale obbedisce in realtà a un altro potere, il nuovo potere è la cultura del consumismo, il nuovo re è la televisione. Si trattava solo di aspettare che la politica, con la sua lentezza cronica, si allineasse al reale. Detto fatto: Sua Emittenza al governo con i fascisti orfani del fascismo. Bingo.

Quel che vedeva lui, da lassù, era un paese che da rurale, contadino e cattolico, diventava qualcosa d'altro, sotto la pressione di una improvvisa ricchezza e l'incursione di un nuovo sistema di valori: quello vagamente americano di un consumismo e di un modernismo laico e pragmatista. Quella era la svolta importante. Del centrosinistra, delle convergenze parallele, delle formule politiche, se ne fotteva: aveva in pugno il cuore del problema, e non lo mollava. E pensava che per cambiare qualcosa bisognasse infilare il bisturi non nell'Italia politica, ma nell'Italia antropologica: cosa gli italiani votassero era un particolare insignificante: cosa avevano in testa, questo sì, era decisivo. Come tutti i profeti, al momento di proporre soluzioni sbandava un po' nel poetico e nel moralismo: abolire la televisione, abolire la scuola dell'obbligo. Cose così. A vent'anni di distanza, dovremmo ormai essere attrezzati a sufficienza per inventare soluzioni più raffinate. Ma resta, come modello infrangibile, quel suo punto di partenza: tornare alle radici del reale, ripartire a pensare dall'inizio. E volare alti. Chi ne è capace, e ne ha il coraggio.

Sono andato a salutare via Battisti. Una tristezza, come andare a trovare un amico in prigione. Neanche le arance da portargli: una via non si fa le spremute. Se è per quello, neanche parla, per cui è stato un saluto molto silenzioso. Ma solenne, a suo modo. Va be'. Spiego.

Via Battisti è una via di Torino, sta in centro, che più in centro non si può. Sarà lunga poco più di cento metri, ma in quei cento metri infila due delle più belle piazzette di Torino, costeggia Palazzo Carignano, che è uno dei più bei palazzi di Torino, sfiora il Teatro Carignano, che è il più bel teatro di Torino. Un isolato più in là c'è piazza Castello, un po' più lontano, ma vicino, c'è piazza San Carlo. Nonostante tutto ciò, è sempre stata una via normale, non si è mai montata la testa, non è mai diventata via Montenapoleone, e passarci era una cosa ovvia e bella.

Chiunque governi Torino, prima o poi si mette in testa di risolvere il problema del centro. Che tradotto vuole dire: prova a convincere i torinesi a non andarci in macchina. Secondo una logica che sembra impeccabile, iniziano a chiudere al traffico certe vie. Che io mi ricordi, con via Battisti non ci avevano ancora mai provato. Adesso l'hanno fatto. Chiusa. In macchina non ci arrivi più. Isola pedonale.

Isola pedonale vuol dire che adesso arrivi in via Battisti e vedi una via tristissima, bloccata all'inizio ed alla fine da transenne e cartelli tipo tangenziale. Per terra c'è ancora l'asfalto, ed è come uno tutto vestito da sera, a cui però hanno rubato la sera. Per allietare l'atmosfera, l'amministrazione ha collocato sul manto asfaltato alcuni oggetti agghiaccianti: fioriere esagonali rosa, contenenti vegetazione da memento mori; appositi attrezzi di ferro per posteggiare bici, senza bici. Panchine da belvedere, senza belvedere. Gente poca: quasi quasi scantonava, imbarazzata. Guardavo il tutto e pensavo: sembra una festa di Capodanno, con tutti quegli sforzi penosi ed artificiali per divertirsi e ridere, anche se non ne hai voglia, anche se volevi essere da un'altra parte. Fioriere come lingue di Menelik: quale allegria? E le panchine, come fossi al mare, ma il mare non c'è, e le biciclette come se fosse Reggio Emilia e invece è Torino, non c'è santo, è inutile starsela a menare. Fare finta di essere sani. È quella cosa lì: fare finta di essere sani.

Io non so. Posso anche convincermi che chiudere al traffico quei cento metri fosse così importante, utile, e irrinunciabile. Mi sembra assurdo, ma ci credo. Però vorrei chiedere una cosa: non pretendete di farcela passare, anche, come una festa, come un passo in avanti della qualità della vita, e come segno di civiltà. Io non ci credo. Io credo che qualità della vita significhi anche potersene arrivare in macchina in centro, posteggiare, e andarmi a comprare un libro senza metterci un'ora. Mi imbarazza scriverlo qui, su questo giornale che tutti sanno di chi è, ma a me piace la città in cui si passeggia tra le macchine e non al posto delle macchine. Mi piace il marciapiede (inteso come idea, non come professione), mi piace la facciata bellissima del Palazzo Carignano con sotto le auto in seconda fila e quello che strombazza perché non riesce ad uscire. Mi piacciono i centri della città in cui si vive: non quelli tramutati in enormi parchi da passeggio. Mi piace passeggiare in campagna: in città voglio la città. Mi piace che dove la città è bella (in centro) la città viva, in modo naturale, facendo casino, e non in modo artificiale, atteggiandosi a museo. E se voglio vedere un fiore, ho chilometri di Italia e centinaia di metri di parchi dove vederlo: in via Battisti posso farne a meno. Lì, molto semplicemente, preferirei parcheggiare.

Quel che vorrei è che si avesse l'onestà di ammettere che le isole pedonali non sono un segno di civiltà ma un segno di resa: incapaci a organizzare il casino metropolitano. Sogno che un sindaco venga a dirmi: scusate, in decenni di malgoverno non siamo riusciti a costruire né parcheggi né metropolitana: quindi adesso siamo costretti a chiudere baracca: là dentro non si può più vivere: fate il piacere, andate a passeggiarci o compratevi una bici. Con molte scuse, il vostro sindaco. Pace. Sono cose che si possono anche capire. Ma è la fioriera, che mi fa uscire dai gangheri: ti guarda con occhi da martire e ti dice: "Hai visto com'è bello adesso? com'è umano? sembra un'altra città". Non sembra un'altra città: lo è. È una città arresa. È qualcosa di meno di una città.

Il caso C.

Ho trovato un'altra cosa triste come il circo e le verdure lesse. È un libro. Già il titolo è di una mestizia totale, con quel suo penoso tentativo di inventare qualcosa di brillante: *Il caso C.* L'ho visto per la prima volta dal giornalaio, in mezzo a dispense di cucina e videocassette sulla Liguria. Copertina desolante. In piccolo: *Bettino*. Enorme: *Craxi*. Media grandezza: *Il caso C.* Niente illustrazioni, solo una grafica da paesi dell'Est. Sul retro, foto dell'autore a colori e curriculum dello stesso stampato tutto in maiuscolo, sembra una lapide. La carta è quella grigia e povera tipo libretto di ricette allegato a mensile femminile. Il prezzo, da saldo: 5.000 lire. L'editore non è uno di quelli famosi: è una cooperativa, si chiama Giornalisti Editori. Apro la prima pagina e ci trovo un'introduzione (a firma dell'editore) in cui appare tra l'altro la seguente frase: "[l'autore] ripercorre la propria vicenda alla luce di quella che definisce una 'persecuzione' giudiziaria e giornalistica fondata su un 'teorema' di cui ne denuncia e dimostra l'infondatezza e l'illegalità". Di cui ne denuncia. Che tristezza. Apro l'ultima pagina e leggo l'ultima frase: "Per parte mia naturalmente continuerò a difendermi nel modo in cui mi sarà consentito farlo, cercando le vie di difesa più utili e più efficaci, e senza venire mai meno ai miei doveri verso la mia *perosona* (*sic*), la mia famiglia e tutte le persone che stimo e rispetto, siano essi amici od avversari". I miei doveri verso la mia *perosona*. Ma come si fa? Un errore di stampa nell'ultima, solenne frase. La *perosona*. Una grande pera. Che tristezza. Per non parlare di quel "amici *od* avversari", togliere quella *d* per favore, che ci fa lì?, non è mica un verbale dei carabinieri.

Sono tornato giorni dopo, dal giornalaio. Ce l'ha ancora *Il caso C.*? Figuriamoci, quello non lo vuole nessuno. Ha sollevato qualche chilo di dispense e figurine e sotto c'era *Il caso C.* L'ho comprato e poi l'ho letto. Non tutto. Ma un po', sì. Che tristezza.

Ora, io dico: un libro è una cosa seria. È una cosa grande. È un gesto enorme. Lo sarebbe per chiunque. Se un uomo politico che per decenni ha segnato la storia di una nazione, un leader, cade in disgrazia, si ritira all'estero inseguito da avvisi di garanzia di ogni genere, se uno così, che sembra un film vivente, che sembra inventato da un abile sceneggiatore, se uno così è il simbolo del potere distrutto, se uno così alla fine decide di scrivere un libro, be', allora dev'essere un vero libro, e dunque un grande gesto. Se non è capace di compierlo, stia zitto. Scriva delle lettere, faccia un video, che ne so. Ma un libro no. Perché farsi mortificare da un prefatore che non sa l'italiano e da un editore che non trova gli errori di stampa? Perché ricostruire con meticolosa paranoia la propria vicenda giudiziaria, annotando torti, inesattezze, imprecisioni? Perché difendersi astiosamente allineando accuse generiche contro tutto e tutti? Perché scrivere, se raccontando uno dei momenti più drammatici della tua vita, quando tu esci dal tuo hôtel e trovi centinaia di persone che ti urlano Ladro, e ti tirano sassi, e menano i tuoi collaboratori, se raccontando tutto questo quel che sai scrivere è: "In questi fatti sono ravvisabili diverse fattispecie criminose"?

Sento rimpiangere Craxi, perfino nel Pds, perché lui almeno era un politico vero, uno statista, non un arraffatore di potere puro e semplice come i padroni attuali. Mah. Leggete *Il caso C.*: non troverete una sola annotazione che si elevi al di sopra della bega giuridica. Non una sola parola che aiuti a capire, veramente, cos'è successo, e cos'era la Prima Repubblica. Niente che non sia regolamento di conti. C'era bisogno di un vero politico per scrivere tutto questo? No, bastava il suo avvocato. O un giornalista attento e un po' socialista. Ma un leader: quello, se decide di scrivere un libro, scrive un libro, non un Harmony giuridico.

Neanche i potenti sono più quelli di una volta. Da qualche parte Benjamin ha scritto che la gente si appassiona alle disgrazie dei re perché quando cadono cadono dall'alto, e fanno più rumore. Erano altri tempi. Adesso i re cadono e fanno rumore di stoviglie. Infatti arriva subito il cameriere e ti porta una forchetta pulita, identica a quella di prima, ma pulita. Che sembra pulita, almeno.

Carmelo Bene, la voce

Carmelo Bene. Me l'ero immaginato definitivamente ingoiato da una vita quotidiana inimmaginabile, e triturato dal suo stesso genio, portato via su galassie tutte sue, a doppiare pianeti che sapeva solo lui. Perduto, insomma. Poi ha iniziato a girare con questo suo spettacolo anomalo, una lettura dei *Canti orfici* di Dino Campana. L'ho mancato per un pelo un sacco di volte, e alla fine ci sono riuscito a trovarmi una poltrona, in un teatro, con davanti lui. A Napoli, all'Augusteo. Scena buia, solo un leggio. Lui, lì, con una fascia sulla fronte alla McEnroe, e dei segni di cerone bianco sotto gli occhi. Un microfono davanti alla bocca, e una luce addosso. Cinquanta minuti, non di più. Non so gli altri: ma io me li ricorderò finché campo.

Non è che si possa scrivere quel che ho sentito. Né cosa, precisamente, lui faccia con la sua voce e quelle parole non sue. Dire che legge è ridicolo. Lui *diventa* quelle parole, e quelle non sono più parole, ma voce, e la voce non è più voce ma è suono che accade, e quel suono che accade diventa Ciò-che-accade, e dunque tutto, e il resto non è più niente. Chiaro come il regolamento del pallone elastico. Riproviamo.

Quando sono uscito non avrei saputo dire cosa quei testi dicevano. Il fatto è che nell'istante in cui Carmelo Bene pronuncia una parola, in quell'istante, tu sai cosa vuol dire: un istante dopo non lo sai più. Così il significato del testo è una cosa che percepisci, sì, ma nella forma aerea di una sparizione. Senti il frullare delle ali, ma l'uccello non lo vedi: volato via. Così, di continuo, ossessivamente, ad ogni parola. E allora non so gli altri, ma io ho capito quel che non avevo mai capito, e cioè che il senso, nella poesia, è un'apparizione che scompare, e che se alla fine tu sai volgere in prosa una poesia allora hai sbagliato tutto, e, a dirla tutta, la poesia esiste solo quando diventa suono, e dunque quando la pronunci a voce alta, perché se la leggi solo con gli occhi non è nulla, è prosa un po' vaga che va a capo prima della fine della riga ed è scritta bene, ma poesia non è, è un'altra cosa.

Diceva Valéry che il verso poetico è un'esitazione tra suono e senso: ma era un modo di restare a metà del guado. Se senti Carmelo Bene capisci che il suono non è un'altra cosa dal senso, ma la sua stagione estrema, il suo ultimo pezzo, la sua necessaria eclisse. Ho sempre odiato, istintivamente, le poesie in cui non si capisce niente, neanche di cosa si parla. Adesso so che c'è qualcosa di sensato in quel rifiuto: rifiuta una falsa soluzione. Quel che bisognerebbe saper scrivere sono parole che hanno un senso percepibile fino all'istante in cui le pronunci, e allora diventano suono, e allora, solo allora, il senso sparisce. Edifici abbastanza solidi da stare in piedi, e sufficientemente leggeri da volare via al primo colpo di vento.

È meraviglioso come tutto questo non abbia niente a che fare con l'idea che si ha normalmente della poesia: un poeta soffre, esprime il suo dolore in belle parole, io leggo le parole, incontro il suo dolore, lo intreccio col mio, ci godo. Palle: per anime belle. Tu senti Carmelo Bene e il poeta sparisce, non esprime e comunica niente, l'attore sparisce, non esprime e comunica niente: sono sponde di un biliardo in cui va la biglia del linguaggio a tracciare traiettorie che disegnano figure sonore: e quelle figure, sono icone dell'umano. Le poesie non sono delle telefonate: non le si fanno per comunicare. Le poesie dovrebbero esser pietre: il mare o il vento che le hanno disegnate, sono poco più che un'ipotesi.

Non spiega quasi nulla, Carmelo Bene, durante lo spettacolo. Solo un paio di volte annota qualcosa. E quando lo fa lascia il segno. Dice: leggere è un modo di dimenticare. Testualmente, nel suo linguaggio avvitato sul gusto del paradosso: leggere è una non-forma dell'oblio. Non so gli altri: ma a me m'ha fulminato. L'avevo anche già sentita: ma è lì, che l'ho capita. Scrivere e leggere stretti in un unico gesto di sparizione, di commiato. Allora ho pensato che poi uno nella vita scrive tante cose, e molte sono normali; cioè raccontano o spiegano, e va bene così, è comunque una cosa bella, scrivere. Però sarebbe meraviglioso una volta, almeno una volta, riuscire a scrivere qualcosa, anche una pagina soltanto, che poi qualcuno prende in mano, e a voce alta la pronuncia, e nell'istante in cui la pronuncia, parola per parola, sparisce, parola per parola, sparisce per sempre, sparisce anche l'inchiostro sulla pagina, tutto, e quando quello arriva all'ultima parola sparisce anche quella, e alla fine ti restituisce il foglio e il foglio è bianco, neanche tu ti ricordi bene cosa c'avevi scritto, solo ti rimane come una vaga impressione, un'ombra di ricordo, qualcosa come la sensazione che tu, una volta, ce l'avevi fatta, e avevi scritto una poesia.

Pogorelich e Sakamoto:
metamorfosi del romanticismo

Ci sono parole che fanno viaggi infiniti. Ad esempio: romantico. Viaggiano nei secoli, si trasformano per strada, impallinano i bersagli più diversi, te le trovi in bocca, senza sceglicrtele, e neanche tu sai quel che dici. Romantico. Schiller, le candele a tavola, *Only you*, Schumann, i tramonti, lui e lei su una vecchia Lambretta, il jingle del cornetto Algida. Romantico. Viaggia, lui. Forse bisognerebbe istituire degli osservatori che ne spiino le deambulazioni. Sta a vedere che si impara qualcosa.

C'è stato un tempo in cui romantico era Chopin. Non solo lui, o la sua musica: anche tutto l'indotto: la signorina che suonava Chopin, il nastro che aveva nei capelli quella signorina, il baffo dell'uomo che se ne innamorava guardandola seviziare un *Notturno*, il biglietto che lui le mandava per dirle Vi amo, lo sguardo che lei gli tirava dietro per dirgli Anch'io, la sua camicia da notte la prima notte di matrimonio, il mazzo di fiori il giorno dopo sul tavolo della colazione... Tutto romantico: da Chopin in giù, lungo una serie infinita di gadget dell'anima, secondo una ferrea logica di mercato: quell'uomo fu per la parola romantico ciò che i fratelli McDonald sono stati per la parola hamburger. Eppure...

Entro all'Auditorium Rai di Torino e dopo un po' entra sulla scena Ivo Pogorelich, con quell'aria di schifo che ha sempre lui quando si accorge che la sala è piena, e c'è un pubblico pagante, dio della volgarità. Forse dovrebbero spiegarglielo, una volta per tutte, che quelli lì sono umani regolamentari, si lavano, hanno due occhi e due orecchie, non vengono da Marte e si chiamano abbonati. Non è difficile da capire. Può farcela. Va be'. Si siede al pianoforte, Pogorelich, cerca di dimenticare l'assurda situazione in cui si è cacciato, e inizia a suonare. Da dio, va detto. Da dio. Prima Musorgskij. Poi Chopin. I quattro *Scherzi*. Non è facile dire come li suona lui, ma insomma, in certo modo li smonta e poi li rimonta, e quando li rimonta non lo fa più con una testa da Chopin, no, li rimonta con la testa di un Joyce diventato cubista e iscritto al secondo anno di un corso per batteria. Risultato: non ci trovi più una sola cosa su cui potresti infilzare il cartellino col nome: romanticismo. Cosa sia, quello che senti, veramente non lo sai, e questo ti inclina a credere che sia il moderno in azione, perché quando una cosa non ha nome allora è futuro, e questo dà i brividi. Ma sono brividi diversi. Il romanticismo te li dava più caldi, che so, più tinellosi. Perduti per sempre? È questo il prezzo del futuro?

Sei ancora lì che cerchi una risposta e ti capita di entrare all'Auditorium del Lingotto, e di beccarti il concerto di Sakamoto. Strano spettacolo. Video e elettronica. Passi tutto il tempo a chiederti ma quello canta davvero? e quello suona o fa finta? cos'è, un play-back, o cosa? ma è proprio lui al pianoforte? ma è un pianoforte? Ancora adesso non ho capito se la vocalista nera era di gomma o era un ologramma o me la sono sognata. Insomma tutto molto artificiale, tecnologico, futuribile. Eppure proprio lì dentro capita che Sakamoto si chini sul pianoforte e stacchi qualche tema dei suoi, quelli nati per il cinema, *Il tè nel deserto*, *L'ultimo imperatore*, cosette così, e tu non sai nemmeno se sta suonando veramente o fa finta, ma intanto senti arrivare quella libidine volgarotta che è la sigla immancabile del romanticismo che arriva, che ti arriva per le scorciatoie del cuore, quelle poco sorvegliate dall'intelligenza, e tàcchete ti becca, Chopin travestito, tenuto sotto ghiaccio, diresti la tecnologia della modernità come grande freezer buono a conservare la vecchia peperonata della nonna, come la faceva lei non la fa più nessuno.

Sono viaggi strani, bisogna convenirne. E qualcosa staranno lì a significare. Una volta di più sento la mancanza di quei pensatori che da cose del genere sapevano distillare la rassicurante esattezza di una teoria, convertendo il paradosso in logica, e la confusione in strategia del Tempo. Poi magari non ci azzeccavano proprio, nel senso che il mondo non c'entrava niente con quello che loro raccontavano: ma una spiegazione, anche se falsa, è pur sempre una spiegazione: è caso che diventa figura, paesaggio che entra in una cornice. È un bel quadro che puoi mettere alla parete della tua cella, tanto per rompere col grigio del cemento. Che ti frega se è falso.

Almeno è romantico.

In volo con Leonardo da Vinci

Pensa passare a Imola nel 1502, più o meno in questa stagione, autunno quasi inverno. A parte che c'erano soldati dappertutto e un casino d'inferno, per via di Cesare Borgia che si era messo in testa di intascarsi con la forza l'Emilia Romagna e forse perfino Firenze. A parte quello. Ma la cosa curiosa è che se te ne andavi a spasso ed eri veramente molto fortunato, poteva capitarti una cosa bestiale: incontrare, in un colpo solo, Leonardo da Vinci e Machiavelli. Poi magari neanche gli chiedevi l'autografo, ma intanto li avevi visti, e qualcosa da raccontare, per sempre, ce l'avevi.

Lavoravano, i due. Machiavelli come ambasciatore di Firenze (un po' a spiare, un po' ad ammorbidire il Borgia), Leonardo come "prestantissimo ed dilectissimo famigliare architecto ed ingegnero generale" del suddetto Borgia: su sponde opposte, insomma. Uno redigeva minuziosi e preoccupanti resoconti diplomatici, l'altro inventava carrarmati e cosette del genere. Combattevano la stessa battaglia ma su piani diversi: e nulla, purtroppo, ci autorizza a pensare che almeno una volta, anche per caso, si siano incrociati.

Di Machiavelli non so altro. Di Leonardo, sì. Già che c'era, tra lo schizzo di una gru e quello di una mitraglia, si fece sedurre da un progettino da niente: disegnare la pianta di Imola. E fin lì, era vagamente ragionevole. Ma lui era Leonardo: decise che quel che voleva fare era una veduta aerea della città: una pianta, esatta, fatta come una fotografia da un aeroplano. Con un colpo d'occhio perfettamente ortogonale alla superficie della terra. All'aeroplano non c'era ancora arrivato, alla fotografia nemmeno: ma era un dettaglio: lui, lassù, a fotografare, già c'era. Con la testa, già c'era.

Adesso quella pianta di Imola fa parte del fondo Windsor, e cioè appartiene alla regina d'Inghilterra. Però fino al 9 gennaio 1995 la si è potuta vedere a Imola, dove l'hanno portata insieme alle altre reliquie leonardesche. A me l'ha mandata un barnumista di Imola, nel senso che mi ha mandato il catalogo della mostra. E il catalogo mi si è aperto alla pagina giusta: doppia pagina; a colori, la pianta. Di una bellezza da rimanere secchi. Non si è sicuri di come sia riuscito a farla. Ma una delle due ipotesi più fondate è commovente: si è fatto tutta la città contando i passi e misurando gli angoli: e alla fine ha preso tutti quei numeri e li ha convertiti nello sguardo di un'aquila di passaggio. Il fatto è che io me lo vedo camminare rasente i muri, e scavalca pozzanghere e merde di cavallo, sempre a testa bassa, contando. E poi annotando. E poi passando all'isolato successivo, e la gente, intorno, a pensare ma guarda 'sto pazzo. E alla fine, nel suo studiolo, con inchiostro e acquerelli, compiere con divina naturalezza uno sforzo titanico e mettere su carte l'immagine che quei numeri erano, sì, ma solo allo sguardo di un aereo, o di Dio. E non riesco a non pensare che esattamente questo sarebbe davvero bello, e salvifico, saper fare mappe del genere, ma non di Imola, della vita: misurare passo dopo passo quel che ti succede e poi riuscire a decollare e guardarlo da lassù, saper numerare gli istanti ma anche vedere gli anni, riuscire a camminare e volare, vivere e capire, simultaneamente. E se guardo quella pianta, la trovo a modo suo struggente, perché forse non è proprio esattamente Imola, ma è esattamente ciò di cui non c'è stato concesso d'esser capaci.

Il che difficilmente sarebbe venuto a galla se quella pianta, va detto, non fosse, in quanto disegno puro e semplice, bellissima. Quasi trasparente, nei suoi gialli e azzurri delicati, chiusa in un cerchio che la ritaglia via dalla carta e dal mondo tutto, sogno in una bolla, visione sotto vetro. Le case segnate una ad una, i profili più scuri, le piazze macchie chiare, di luce, il canale azzurro che gira attorno alle mura, i prati intorno, le strade che se ne vanno dalla città, bucano la circonferenza della bolla. Un'icona. In basso, fuori dalle mura, volteggia, grande, il fiume. Ma non è un fiume. È il sogno di un fiume. Il cartografo si è fermato, sazio, forse d'esattezza. E ha lasciato fare al pittore. Fiume come fumo azzurro che va per le campagne. Come capelli di qualche fata turchina passata da lì. Ancora più trasparente del resto. Dopo un po' che lo guardi ti sorprendi col dito sopra, a toccarlo: e quel che ti aspetti è che, minimo minimo, sia di seta.

Nel catalogo, no: ma secondo me nell'originale, a Imola, se tocchi il fiume, quel che senti è seta.

Vive l'amour, abbasso il cinema

Ha questo di bello, il cinema: che quand'è bello lo capisci. Voglio dire: il pubblico medio può riconoscere il capolavoro, riesce a riconoscerlo subito. Magari poi non va in vetta alle classifiche, ma c'è una sostanziosa parte di pubblico che lo riconosce. La parabola di ricerca degli autori e la crescita percettiva del pubblico procedono sostanzialmente parallele. È stato così, un tempo, anche per la musica colta o per l'opera: checché piaccia credere ad alcuni, Beethoven faceva impazzire il pubblico, ed era un pioniere, mica un autore di consumo. E Verdi l'hanno capito quasi subito chi era. Sono esempi di un'età che viene da definire età dell'oro. Poi le cose si guastano, gli autori accelerano per vie tutte loro e il pubblico perde contatto. Wagner decifra esattamente quel punto di scollamento: il pubblico arriva ad amarlo ma dopo un training di mesi, di anni. Lui correva, il pubblico lo inseguiva. Dopo di lui, hanno piantato accelerate tali che il pubblico li ha persi di vista. Scollamento. Fine. A raccontarla semplice, è chiaro. Ma più o meno è così.

Il cinema è ancora alla sua età dell'oro. Ma ogni tanto succedono cose che fanno presagire l'inizio della fine. Già *Pulp fiction* di Tarantino mi ha lasciato lì: capisco che è bellissimo, ma non saprei spiegare esattamente perché. E il dubbio che, invece, sia una presa per i fondelli, non te lo togli di dosso. È come una spia che si accende. Scollamento? Forse. Dove invece lo scollamento mi è parso una certezza – una fastidiosa, triste indecente certezza – è stato quando sono andato a vedere *Vive l'amour*. Girato a Taiwan. Regista, Liang. Gli hanno dato il Leone d'oro a Venezia. Ne ho letto recensioni sinceramente ammirate, scritte da critici che sinceramente ammiro. Dicevano: un grande talento. Giuravano: un grande film.

L'ho visto. Erano anni che non vedevo un film così presuntuosamente inutile, falsamente intelligente e schiettamente palloso. Constato che, all'uscita, la cosa più gentile che ho sentito è: "Rivoglio i soldi del biglietto".

Voglio dire: non ero il solo ad esserci rimasto male. Magari mi sbaglio: e si sbagliavano quelli che volevano indietro le diecimila lire. Probabile. Però da un Leone d'oro a un film che suscita il desiderio del rimborso c'è un bel salto. Enorme. Simili scollature chilometriche le avevo incontrate solo nella musica contemporanea dov'è all'ordine del giorno vedere il pubblico sfilare, smarrito e sconsolato, davanti alle opere di maestri accreditati di un genio indiscutibile. Ma quello è cinema, e alle senili perversioni sublimi della musica colta non c'è ancora arrivato. È ancora all'età dell'oro, lui. E allora: cosa diavolo è successo?

Leggo che quello è un film sull'incomunicabilità, sull'alienazione, su un mondo da futuro azzerato. Inizia con mezz'ora senza una sola parola. Quando finalmente uno si decide a parlare è per dire cose qualunque, una telefonata di lavoro. Finisce con una sequenza interminabile in cui la protagonista cammina intorno a un desolante giardino pubblico (solo il rumore dei tacchi sul cemento), poi si siede e inizia a piangere e lo fa per minuti e minuti. Poi smette. Fine. In mezzo, una collezione di gesti anodini e tristi, centellinati con libidinosa lentezza dai tre protagonisti, intenti a finire a letto senza dirsi una parola o a sbarcare il lunario con sconfinato disinteresse. Per lo spettatore è un'esperienza sfinente, esasperante e fisicamente ardua. Non è un giudizio di valore: è una constatazione. Un fatto. Quel film è sfinente. Così ho visto riapparire il fantasma di un meccanismo che già ho incontrato, altrove, e che, altrove, ha già combinato abbastanza disastri: quando vengono messi in connessione intelligenza e difficoltà, quando il valore di un'opera passa attraverso la negazione del piacere, quando un'opera per diventare bella deve diventare inaccessibile e per diventare un capolavoro deve azzerare la propria natura di prodotto di consumo. È un meccanismo perverso. Ma soprattutto: vecchio. Abbiamo già dato. Non ci caschiamo più: uno che cammina e basta, per minuti, sarà anche l'icona dell'insensatezza del mondo, ma lo è la prima volta, lo è ancora la seconda, e magari la terza: poi diventa uno che cammina e non vedi l'ora che arrivi da qualche parte, sant'Iddio, o che dica qualcosa, o che qualcuno gli spari, per favore sparategli. L'abbiamo già visto camminare in decine di altri film, e non erano film qualunque. Fuori tempo massimo. Quel numero, è già vecchio. Magari non a Taiwan. Ma qui, sì.

Qui, però, gli diamo il Leone d'Oro. Non capisco. Scollamento. Hanno sicuramente ragione loro. Ma allora: scollamento. Conviene saperlo, registrarlo, e non far finta di niente. Scollamento. Non è una cosa da nulla. In musica, quella cosa lì, è stata l'inizio della fine.

Pugni e rap

Fa freddo, nel Palazzetto dello sport di Verbania. Sugli spalti, poca gente. In mezzo a tutto, un ring. E gente gente che ci sale e gente che ci scende. Salgono con una faccia un po' sbruffona, un po' impaurita. Scendono con una faccia parzialmente ridisegnata, dai pugni e dalla fatica. Campionati italiani assoluti dilettanti. Boxe. Ma è una boxe particolare, che c'entra poco con quella dei professionisti. Qui non amano il sangue, il colpo che ti spedisce al tappeto vale un punto, come qualsiasi altro colpo, e al primo segno di rimbambimento fermano tutto. "È una scherma il pugilato. Una partita a scacchi," ti dicono: e se da qualche parte è vero, è vero qui. Tre round, caschi di gomma in testa, canottiera, e, tornati a casa, un mestiere vero: meccanico, ragioniere, insegnante di ginnastica, barista, cose così. Magari qualcuno si sogna anche le Olimpiadi o il Madison Square Garden: ma i più sognano semplicemente di salire là sopra, col loro casco di gomma, e basta. Non puoi non chiederti: ma chi glielo fa fare? Quattro ore al giorno di allenamento e tutta una vita, poi, con un naso cubista. In cambio, neanche un soldo. "In cambio, torni a casa che hai dimostrato qualcosa a qualcuno, e a te stesso," ti dicono. Dimostrato cosa? "Che sei qualcuno, e te stesso." Uno a zero.

I più piccoli sono quasi tutti sardi, i più bravi sono quelli intorno ai 65 chili, i più grossi stanno sopra i novanta e sono pochissimi, si sfidano sempre tra di loro, si conoscono a memoria, è un po' come trovarsi tutti i martedì a giocare a scopone. In nazionale non ci vanno: per andare in giro a farsi spianare da una cassapanca bulgara gonfiata dagli steroidi, preferiscono rimanere al loro scopone. Pugni come badili, ma anche la loro è scherma, giusto un po' più pesante del normale. Alla fine, baci e abbracci. Ci vediamo martedì.

Il vero spettacolo, comunque, sono i secondi. Nel senso di quelli che stanno all'angolo. Uno è il Maestro, l'altro è quello che sciacqua il paradenti, tra un round e l'altro. Credo che per regolamento dovrebbero tacere, durante il combattimento. Grazie a Dio non lo fanno. Ed è uno spettacolo. Un rap. Sul ring danzano, tra un pugno e l'altro. A bordo ring danno il ritmo. Ti resta nelle orecchie quella strisciata incessante di parole, in tutti i dialetti d'Italia, sembra che gliel'abbia scritta Céline, ma un Céline che suonava la batteria. Più che parole, è musica. "Dài Michele, dài, più basso, montante destro, stai su dritto, MICHELE!, su dritto, stai dritto, la Madonna staccati da lì, staccati e dài col destro, sta' attento, giù, giù prima, esci, esci, ostrega, non far baruffa, esci da lì, ARBITRO QUELLO SPINGE, scusi, ANTO'!, passi brevi Anto', così, anticipalo, antcip... così!!, ha accusato, Anto', accusa, lo vedi che c'ha la bocca aperta, Anto', respira, respira profondo, e tieni su 'ste braccia, col destro Christian, uno due e poi via, uno due, dài, ARBITRO E QUELLA COS'ERA?, lavoralo, dài, LAVORALO, non scappare, ancora venti secondi, quanto manca?, VENTI SECONDI CHRISTIAN, va' avanti, non andare indrio, avanti, statento adesso, così, va bene, va bene, calmo, TIENE, ARBITRO!, dài Carlo che è stufo, cosa aspetti?, sinistro, sinistro, gancio destro, avanti a passettini, tutt'e do le man, così, t'ha capìo no?, vieni avanti, ancora ancora ancora, 'ndem 'ndem, Carlo, ehi Carlo, scolta, uno due come gh'el vien, uno due, tutt'e do le man, non molarlo, tira fuori tutto dài, trenta secondi, TIRA FUORI I COJONI, ma tieni su quel destro Dio benedetto, il destro Carlo, così, è finita dài, ocio eh?, non far a botte, non far a botte, vieni via, così, tagliagli la strada, bravo, bravo, però non partire da lontano, Carlo, mi hai sentito?, se parti da... GONG." Carlo di cognome fa Brancalion. 67 chilogrammi, ovviamente dal Veneto. I giudici alla fine dicono che ha vinto lui. Cade in ginocchio in mezzo al ring, butta le braccia verso il cielo e grida qualcosa che forse è un urlo forse è un'espressione in veneto stretto. Chi non fa una piega è il Maestro, il rapper, che sale sul ring col solito asciugamano sulla spalla, ed è bellissimo mentre dice, a mezza voce "Ma cosa fai, Carlo, sta serio, cos'è quello?, dài vieni qua, stai signore", proprio così gli dice, stai signore, e lo alza da lì e gli toglie il casco, Carlo c'ha i capelli tutti a casino, non smette di saltellare e ridere, arriva uno e gli strilla "Ti se campione!", arriva un altro, con l'aria da dirigente, in giacca cammello, con la cravatta, e quel che gli dice è straordinario perché con tutto quel che potrebbe dire alla fine quel che dice è: "Dài, date na petinà". Che magari non si scrive così, ma così era, a sentirla, e secondo me è bellissima. Date na petinà.

Eccoci qui. Questa è Mimì, gaia fioraia. Il suo venir completa la bella compagnia. Perch'io sono il poeta, essa la poesia. Dal mio cervel sbocciano i canti, dalle sue dita sbocciano i fior; dall'anime esultanti sboccia l'amor.

Rodolfo, second'atto, di *Bohème*, caffè Momus, Parigi. La spara così grossa che Marcello, l'amico pittore, non riesce a evitare di commentare con un "Dio, che concetti rari", a cui il libretto fa precedere l'esplicita didascalia: *con ironia*.

Perfino per Illica e Giacosa quelli erano versi imbarazzanti. Letti adesso sono, evidentemente, indefinibili. Non sono semplicemente brutti. La cosa è più complessa. Quasi non c'è un aggettivo per definirli. Bisogna rifugiarsi nel vecchio e implacabile: kitsch. Vero è che Rodolfo era poeta, e probabilmente poeta di bassissima levatura; inoltre, non va dimenticato, era un tenore. Le due cose, sommate, non possono che produrre disastri. Ma perfino date queste premesse è difficile immaginare una così drastica scivolata nell'orrido, una così totale resa all'orribile. Versi come quelli affonderebbero qualsiasi musica, qualsiasi drammaturgia, qualsiasi teatro. Sono una zavorra micidiale. Viene la curiosità di sapere se ai tempi (1896) ci fosse da qualche parte qualche sartina, qualche anima bella, qualche innocente che a dispetto di qualsiasi logica li trovasse a modo loro belli, quei versi, li ascoltasse e pensasse: belli. E magari li mandava a memoria, e magari li ritirava fuori, all'occasione, io sono il poeta tu sei la poesia, e poi via a baciarsi. Chissà. Tutto è possibile. Ma adesso... Adesso non c'è anima bella che regga. Quella è melassa andata a male; e basta.

La cosa affascinante è che poi Puccini, con le sue opere, stava con tutti i due piedi nella modernità, quando ancora la modernità non esisteva, e in definitiva frequentava il futuro, e di fatto faceva film senza saperlo, e in sostanza era un profetico genio. Ufficialmente scriveva opere, ma sotto sotto quel che faceva era inventare la musica leggera e insegnare al cinema cosa bisognava fare. Robette da nulla. Miracolose, a ben pensarci. Che sarebbe giusto e bello tirar su in superficie quando si rappresentano le sue opere: ma col problema, quasi irrisolvibile, della zavorra. Lui vola, il kitsch lo tira giù. Un doppio movimento che sospende la sua acrobazia in un gesto goffo e indecifrabile: come quando, nelle partite tra vecchie glorie, il centravanti, ormai calvo, s'alza in volo e tenta la rovesciata. Succede sempre. Imbarazzante da pazzi.

Ho visto Puccini alzarsi in volo, nonostante tutta la sua zavorra di kitsch, sforbiciare in aria alla Piola, e contro ogni logica insaccare alla grande, palla nel sette, applausi. L'ho visto a Firenze, al Comunale, in una *Bohème* che non dimenticherò perché la regia era di Jonathan Miller; e il gol, suo. Miller si è messo a pedinare il kitsch pucciniano passo dopo passo. E ogni volta che quello metteva la testa fuori lui studiava una contromossa e lo annullava. Ha spostato tutto in una Parigi anni trenta, che è per noi il mito che, per quelli del 1896, era la Parigi di inizio Ottocento. Ha pensato: se è profezia di un qualche cinema, allora facciamo cinema. E, per quanto si possa fare su palcoscenico, ha fatto un film. Scenografie da film, inquadrature da film, movimenti da film, costumi da film, gesti da film: spazzata via tutta la paccottaglia della gestualità da opera. La gente si muove in modo naturale, si abbraccia come ci si abbraccia nella vita, sta seduta, mangia e beve come lo si fa un sabato sera qualunque. E se a un certo punto Musetta deve fare il gesto dell'ombrello a Marcello, lo fa; con tanti saluti ai puristi. Certo non poteva cambiare i versi o spegnere certe ruffianate musicali che Puccini non amava evitare: però tutto risultava ammortizzato dalla sotterranea rete di modernità che teneva insieme il palcoscenico e l'orchestra. E quando proprio non c'era verso di raddrizzare le cose, via di forbice. Come nel finale. Quella storia di Rodolfo in piedi sulla sedia che cerca di attaccare una mantella alla finestra per far buio, e non ci riesce, e intanto Mimì è morta ma nessuno osa dirglielo, e lui sempre là ad armeggiare, e poi da là bisogna farlo scendere, e un tenore che scende da una sedia non è mai una cosa bella da vedere, e insomma è tutto un goffo pasticciaccio. Bene. Via tutto. Niente sedia, niente mantella. Si muovono intorno al letto di Mimì come su una scacchiera, ogni spostamento è una mossa per rinviare l'istante dello scacco matto, un'alchimia di sguardi e distanze, una danza funebre. A un certo punto Rodolfo alza lo sguardo e vede tutti gli altri immobili. Finita la partita. L'ultima mossa è sua. Fosse Monteverdi sussurrerebbe: Mimì. È Puccini, per cui grida: Mimì! Scacco matto.

Che poi tanto la gente si commuove comunque, ed è giusto, ci pensa la musica, che ci sa fare. Ma se c'è un modo di rendere giustizia a Puccini, di terminare il gesto che lui iniziò, quello è il modo. Metterlo in scena così. Tutto il resto è astuta gastronomia del cuore.

Pasadena si pronuncia pasadina, con la esse come Sassari, che però è un posto molto diverso. Pasadena è in California, e per l'italiano maschio medio è una città legata per sempre a un ricordo: che non è il rigore spedito da Baggio alle stelle, ma qualcosa di molto più raro e simbolico: Franco Baresi che piange in mondovisione. Singhiozza come un vitello, in diretta, davanti a milioni di persone, un secondo dopo aver perso i Mondiali. Per l'italiano maschio medio è stata una liberazione. Se piange Baresi puoi piangere anche tu. Dobbiamo a lui una sorta di passaporto collettivo per il paese del dolore. Da Pasadena in poi è stato tutto più semplice.

A Pasadena ci sono andato perché ogni anno, nel primo giorno dell'anno, lì fanno la *Rose Parade*: che gli americani hanno deciso essere una cosa straordinaria e memorabile. Una *parade* è una sfilata, tipo Carnevale di Viareggio, per capirsi. In America ce n'è un mucchio: ma due sono quelle davvero importanti: una è a New York, l'altra a Pasadena. Se tu chiedi a un americano perché mai è una cosa così straordinaria lui ti risponde con una frase che testimonia l'impareggiabile logica di questo popolo, così felicemente pragmatista: perché lo è. Sublime. Ho capito che bisognava andare, e vedere.

La prima cosa che davvero ti lascia secco la vedi il giorno prima, dalle prime ore del pomeriggio in poi. Arrivano in migliaia, da tutta la California ma anche dall'Indiana, dall'Oregon, dal Colorado, dalla Pennsylvania, da dovunque: e si accampano ai bordi della via principale. Dieci chilometri di marciapiedi: e per dieci chilometri tu vedi un'umanità che bivacca con ordinata e felice civiltà, come esule da chissà quale planetaria catastrofe. Da casa si sono portati tutto: la sedia del salotto per vedere la *Parade* in prima fila, belli comodi, la brandina per dormire, coperte a tonnellate per uscire vivi dal freddo della notte e poi thermos da ettolitri, barbecue (giuro), coperte coperte coperte, lo stereo, la vecchia nonna che non perde una *Rose Parade* da anni, Risiko, palle palloni pallette, quintalate di roba da mangiare, il televisore portatile con antenna di due metri (e sullo schermo chi c'è? Il tenente Colombo, ancora lui), stufe a gas, trombette, il neonato povero innocente, il cesso chimico, la bandiera degli States e fiumi di birra. Sembra un convegno mondiale di *homeless*, ben organizzati, però, il *Rotary* dei senzatetto. Sono, dicono, 500.000. Neri, orientali, bianchi, messicani, portoricani, è l'orgia del mix etnico. Bevono, dormono, cantano, ballano, producono quintali di spazzatura, ma lo fanno con grande civiltà. E aspettano.

Quel che aspettano arriva finalmente alle otto e mezzo del mattino dopo. È, giuro, una palla micidiale. Naturalmente il baseball è peggio, ma anche la *Rose Parade* non scherza. Dura due ore. Due ore di bande musicali, carri tipo Carnevale di Viareggio ma un po' più grandi, cavalli e cavalieri, auto d'epoca, sceriffi sindaci e governatori, qualche vecchia gloria, e un dirigibile nel cielo a fare la *réclame*. È difficile spiegarlo così, a freddo, ma per quel genere di cose, da queste parti, delirano. Hanno *deciso* di delirare. Strillano che è un piacere, tutti, signore con Nike ai piedi e capelli tinti rosa sunset, bande giovanili con look da brivido, padri di famiglia con cappellino e pancia d'ordinanza, quelli del '68 con la coda di cavallo e la faccia di Keith Carradine, nugoli di messicani, perfino qualche intellettuale, cioè quelli con la giacca e senza cappellino. Strillano, salutano, applaudono e scattano foto, che finiranno dritte su qualche agghiacciante comò finto vittoriano, di fianco alla cyclette e al freezer da 500 litri, in salotto. That's America.

Questa è l'America. E non è la fesseria che sembra. C'è qualcosa di straordinario in questo decidere, tutti insieme e una volta per tutte, che quella è una cosa straordinaria: ed essere capaci di farla diventare straordinaria. È un modo di creare un'epica della vita che non ha paragoni. Questi riescono a creare il mito partendo dal quasi nulla. Una bevanda gasata con caffeina e coca dentro, un giro di accordi che chiami rock, un'autostrada, un gioco in cui colpisci una palla con una mazza e poi corri più veloce che puoi, un uomo qualunque che però diventa presidente, la finale del torneo dei licei, una polpetta di carne tra due fette di pane, un topo che si chiama Mickey, una bislacca marmellata di razze e nazioni che chiami America. Non importa cos'è, veramente, tutta questa roba. Gliela metti in mano e diventa mito. Sono i professionisti della meraviglia. Geniali e contagiosi. Magari non è una forma di intelligenza, ma certo è una forma di sapienza. Che se ci pensi, non c'è santo, alla fine devi ammettere che è una cosa bella. E se ti chiedi perché, la risposta è una sola: perché lo è.

America 2

Buffo sport il football. Quello americano, voglio dire. Già il nome, è uno scherzo: cosa c'entra il piede in uno sport in cui fanno tutto con le mani? Emblematico è il pallone: ovale. Provate a inseguirlo mentre rotola via e provate a dargli un calcio: da diventar matti. Più ondivago di Segni. In compenso l'utilità di quella forma assurda vi risulterà lampante se provate a tenerlo in mano correndo per trenta metri inseguiti da quattro armadi con casco che solo una cosa vogliono da voi: stendervi. Un pallone da calcio non sapreste dove metterlo. Quello ovale lo infilate sotto il braccio, e via. Ergonomicamente studiato per starsene lì come un bambino. Non lo molli neanche quando i quattro armadi arrivano, e ti spalmano sul terreno.

Buffo sport, perché è l'unico sport di squadra in cui, però, un giocatore vale come tutti gli altri messi insieme, e alle volte di più. Si chiama *quarterbacks*, ed è quello che pensa. La mente. Gli altri si massacrano, lui decide lo schema, riceve il pallone su un piatto d'argento, fa qualche passo indietro studiando la situazione, scannerizza il campo intero mentre intorno a lui armadi con casco fanno muro per lasciarlo lavorare in tranquillità e alla fine lancia il pallone, a distanze micidiali, o a due metri, comunque sia è un'operazione chirurgica, un lavoro di cesello.

Uno dei migliori *quarterback* in circolazione l'ho visto giocare domenica nella semifinale dei playoff, un evento, da queste parti, Miami contro San Diego, a San Diego, con un sole così. Si chiama Dan Marino. Occhi color acqua di piscina, bella faccia da americano sano, denti davanti rifatti ma bene, calma olimpica, sempre, e una caviglia distrutta, per cui non corre mai. Gli basta camminare d'altronde. Il resto è scanner umano e un braccio esatto come un compasso. Immagino riuscirebbe a infilare quel pallone in una tazza del bagno tirandolo da 40 yard di distanza. Ammesso che la cosa possa esser utile a qualcuno.

Alla tivù dicevano che non c'era storia, avrebbe vinto lui, cioè i Miami Dolphins. E in effetti a metà partita quelli di San Diego stavano sotto per 21 a 6, che vuol dire una specie di tre a uno calcistico. La cosa sembrava logica anche allo spettatore profano (io) visto che il *quarterback* dei californiani aveva la faccia di un liceale con troppi hamburger addosso, e lo sguardo martire di uno che cercava l'uscita. Per fortuna gli giravano addosso una serie di belve umane specializzate in ogni sorta di legale violenza. Lasciata da parte la chirurgia estetica, il bambino hamburgherato preferiva passare la patata bollente a una belva umana nera, col numero 20 sulle spalle e un talento tutto particolare a mettersi il pallone sotto l'ascella e partire come un treno e divellere avversari. Pian pianino, a furia di demolizioni, si guadagnano yard anche così, e cioè punti, e cioè speranze.

Il football è un gioco strano. Che sembra elementare ma vive grazie a un regolamento sofisticatissimo, che sembra studiato da uno scienziato. Non ho capito bene come, ma triturando il gioco il San Diego si riporta sotto e a trentaquattro secondi dalla fine il bambino azzecca il passaggio giusto, lanciando in gol (che qui si chiama *touchdown*) tal Mike Seay. 22 a 21 per i californiani, pubblico in delirio. Gli occhi piscinati di Dan Marino osservano spaesati. Tocca a lui. In 28 secondi, a colpi di bisturi riporta il Miami sotto porta ad annusare il gol che sarebbe vittoria (traduco in pallonese, naturalmente). I frigoriferi del San Diego fanno muro. Quindici secondi. Marino prende palla, scannerizza e lancia. Passaggio esatto, probabilmente, ma nel frattempo l'uomo che doveva andare a prenderlo è stato spalmato sul terreno da un frigorifero nero più furbo di lui. Il pallone rotola nel nulla. Tutto da rifare. Sei secondi. E allora arriva finalmente il momento del piede. Nel senso che se non riesci a portare la palla oltre la linea della meta, puoi scegliere di calciarla, da fermo, e farla passare fra i due pali, piantati verticalmente, oltre quella riga. Fai tre punti invece che sei, ma al Miami bastano per vincere. E così entra in campo Pete Stoyanovich. È il *kicker* del Miami: nel senso che una sola cosa fa: entra in campo a calciare quando bisogna calciare. Il resto del tempo se ne sta fuori a guardare. Fa quell'unica cosa, sempre, da non crederci, ma è così. Pubblico tutto in piedi. Dan Marino ai bordi del campo, occhi fissi su quei due pali. Stoyanovich si avvicina al pallone, e chissà cosa gli passa per la testa. Milioni di americani smettono per un attimo di mangiare e fissano immobili la tivù. Breve rincorsa. Collo interno destro, effetto a rientrare. Il pallone decolla. Un grosso uovo marrone che vola. Dan Marino abbassa gli occhi. L'uovo vola, ma fuori.

Pensa come ha dormito, Stoyanovich, 'stanotte.

America 3 (fine)

In tutta quell'orgia di modernità senza passato, l'America conserva un tratto arcaico che colpisce, perché esibito con totale limpidezza e cinismo: alla base di tutto c'è un'esperienza elementare, archetipica: un uomo vende qualcosa, un uomo compra qualcosa. È come se tutto il grande incendio dell'esistere collettivo sprigionasse da quella scintilla originaria. Vendere e comprare. Poi viene tutto il resto. Senza pudore, senza moralismo.

Va da sé che in quel particolare gioco, vendere e comprare, sono, laggiù, dei maestri. Non è un lavoro. È una libidine. Un esercizio della fantasia. Un'arte. Dal gran bazaar infinito mi son portato via tre microstorie, che sono un niente, ma forse raccontano tutto. La prima racconta di caramelle.

Dato che una caramella non dev'essere necessariamente buona ma deve essere necessariamente divertente, ne studiano di tutte e a furia di studiare a uno è venuto in mente che sarebbe stato bello farle col buco in mezzo. Rotonde col buco in mezzo. Gli hanno dato un nome roboante, Lifeseavers, e le hanno fatte di tutti i gusti e colori possibili. E va be'. Fin lì c'eravamo arrivati anche noi. Il buco con la menta intorno. Le Polo. Le abbiamo anche noi. Però ci siamo fermati lì. Gli americani no. Di fianco alle caramelle coi buchi cosa trovi, a un prezzo solo leggermente inferiore? I buchi. Sulla confezione c'è scritto proprio così: BUCHI. E dentro ci sono minicaramelle di misura perfetta che tu prendi e se vuoi te le mangi così ma se vuoi le incastri nella caramella col buco preventivamente acquistata e fai le combinazioni di gusti e colori che vuoi. Un delirio? Sì, ma furbo. Piccolo simbolo di due regole da quelle parti ferree: quando compri non soddisfi un desiderio, ma ne metti in moto altri. Compri la caramella e credi di farla finita lì. No. Di fianco c'è il buco. Vuoi non comprarlo? Figurati.

Seconda microstoria. Il ketchup. Vai a mangiare, a un certo punto decidi di rovinarti ulteriormente aggiungendo ketchup, prendi la bottiglia, la apri, e lei è piena. Non dico proprio sempre. Ma nove volte su dieci: è piena fino al bordo. Sembra una magia ma il trucco c'è. Hanno deciso che dev'essere sempre piena. Per cui i camerieri, nel retro, occupano le pause svuotando una bottiglia nell'altra, che non è affatto una cosa semplice, chiunque può capirlo, ma loro sono dei maestri e con pazienza certosina producono da dieci bottiglie usate tre che sembrano nuove e sette vuote, da buttare. Le tre nuove, sono quelle che poi ti ritrovi sul tavolo. Un lavoro idiota, se uno ci pensa. Ma per loro importantissimo. Mi sono chiesto perché. E l'ho capito quando mi sono ricordato una cosa: di quando, qui, decidi che vuoi un po' di senape e apri il barattolo e il barattolo è semivuoto, con la senape tutta disordinata e le orme di forchette altrui. Non è che proprio ci fai caso, ma nel doppio fondo della tua percezione qualcosa passa, quasi impercettibilmente, ed è un senso di cosmica tristezza. In quel barattolo imperfetto c'è scritto che non stai vivendo nel migliore dei mondi possibili. A caratteri minuscoli, ma c'è scritto. Quando sei seduto a un tavolo, in America, e mangi un hamburger, quello che ti vendono insieme all'hamburger è anche la sensazione che stai vivendo nel migliore dei mondi possibili. Te lo scrivono da tutte le parti, e con caratteri quasi invisibili anche nella bottiglia di ketchup. Piena. È chiaro adesso perché non deve essere altro che piena?

Ultima microstoria. I grattacieli a Los Angeles non sono molti, perché il centesimo piano di un grattacielo non è il posto ideale in cui assistere a un terremoto. Non sono molti, ma ci sono, in centro. Proprio sotto, come un fungo ai piedi di un albero, c'è un locale in cui si mangia, una costruzione a un piano, con l'aria vecchiotta e un po' sporca. Si chiama Pantry, che vuol dire dispensa. Sulle tazze del caffè c'è scritto: Pantry, dal 1924, mai chiuso. E sui tovaglioli: sempre aperti, mai senza clienti. Il bello è che è vero. Quelli è dal 1924 che danno da mangiare e non hanno mai chiuso un minuto. Neanche quando è scoppiata la guerra, neanche quando è morto il fondatore, neanche a Natale Capodanno 4 luglio, mai. A un certo punto la città di Los Angeles li informò che erano spiacenti ma da lì, proprio da lì, doveva passare la nuova freeway quattro corsie, e che insomma dovevano trasferirsi. Era suppergiù il 1950. Non fecero una piega. Presero un altro locale a cinquanta metri da lì. Il giorno stabilito servirono il pranzo nel posto vecchio e alle cinque lo chiusero. Un minuto prima avevano aperto quello nuovo, dove servirono la cena. Mai chiuso. I tavoli sono da vecchia pizzeria, sui muri ci sono le foto in bianco e nero dei camerieri di tanti anni fa, la cassa è uno sportellino con le sbarre davanti, come una banca del West. Davanti il linoleum è consumato da milioni di scarpe ferme lì a pagare. Tre dollari e 99 per uova, patate, toast e caffè. Il mito, quello è gratis. Impagabile.

La palla dopo il diluvio *

Un'alluvione finisce anche così. Con ventidue giocatori in braghette corte che entrano in campo. E undici hanno la maglia grigia. E il campo si chiama Moccagatta. E quel che c'è intorno si chiama Alessandria.

Il 6 novembre, da quelle parti, era Tanaro dappertutto, colori di fango e puzza di sventura, a ruscellare per vie e appartamenti, nello stupore generale. Nella sua sete incondizionata, l'acqua si è bevuta un po' tutto, e quando è arrivata allo stadio non ci ha pensato due volte e s'è bevuta anche quello. Sono passati quasi tre mesi, da allora. Gli alessandrini si sono ripresi la loro città e l'Alessandria, intesa come squadra di calcio, ha vagabondato nei dintorni a rimediare sconfitte più o meno dignitose. Il suo presidente, però, non è stato a guardare. Fa caschi, nella vita, e miliardi. Ha cambiato l'allenatore e ha messo le ruspe al lavoro. Domenica scorsa, alle 14 e 30, ha riaperto il Moccagatta. Se proprio bisogna perdere, almeno che lo si faccia tra le mura amiche, come si diceva una volta, quando lo zero a zero si chiamava "punteggio a occhiali" e nei titoli dei giornali, vicino al risultato finale, c'era tra parentesi, quello del primo tempo, così, per capire com'era andata.

Quel certo sapore di antico ce l'ha anche il Moccagatta, stampato addosso. Con le panche di legno in tribuna e la curva degli ospiti che da fuori sembra un mi-

* Barnum scritto il 25 gennaio. Quasi tre mesi prima un'alluvione da prima pagina si era bevuta mezzo Piemonte, Alessandria compresa.

171

niteatro d'opera, e da dentro fa sorridere per quanto è piccola e elegante. Nel bar ci sono belle allineate le foto dei grigi quando erano i Grigi e non vivacchiavano in serie C. Cerchi e cerchi e alla fine trovi l'anno in cui c'era Rivera, avrà avuto 15 anni, ma già lavorava il pallone come se il campo non fosse un campo ma un tecnigrafo. Faccia da bambino, la stessa di adesso. Sul muro, una spanna sopra la testa dell'abatino, hanno tracciato una riga che corre per tutto il bar. E sopra ci hanno messo un cartellino con scritto "Alluvione del 6/11/1994". Così, per la memoria storica, che si sappia che quell'acqua era arrivata fin lì. Mica tanta poesia, non ci son tagliati da quelle parti. Una riga e una data. Basta e avanza. Il resto è rabbia che si tengono per sé.

Sul campo non trovi un filo d'erba a pagarlo. Ma la spianata marrone non è più di fango ma terra dura, il pallone rimbalza dappertutto, sa di oratorio, ma giocare si gioca. In campo, di fronte ai Grigi, una squadra che completa alla perfezione il clima dei bei tempi andati, la Spal. La Spal è come il Tide, il Ciocorì e Febo Conti: nomi da mito, travolti dal futuro. Non riesci a pronunciarli senza che ti torni su tutto l'odore di quei tempi là, e una fottuta nostalgia, e va be', lasciamo perdere. Tremila persone sugli spalti, cielo grigio d'ordinanza, freddo micidiale. La Spal gioca al calcio, l'Alessandria al pallone. La Spal si prende il centrocampo, declina schemi da calcio vero, e al settimo minuto va in gol con uno dal nome farmaceutico: Bugiardini. L'Alessandria salta il centrocampo, morde tutto dove può, la butta in mezzo e ci mette un minuto a pareggiare: in mischia lo stopper trova la tibbiata giusta e insacca. Si chiama Carletti, ma dovrebbe chiamarsi Carletti IV: giocatore di stampo antico, sembra uscito da una delle foto del bar, quelle in bianco e nero. Un armadio, tanto cuore, imbattibile di testa, il piede è un optional. Mitico, a modo suo. "Immenso", precisa il mio vicino all'ennesimo anticipo di zucca.

Se ci fosse una logica, nel calcio, vincerebbe comunque la Spal. Ma la sceneggiatura di partite come questa la scrive sempre qualche De Amicis nascosto da qualche parte tra le pieghe del destino. E così, mentre la Spal continua a ricamare bel calcio, l'Alessandria gliene infila due, a firma del centravanti, Damiani, che con la testa trova un impossibile angolino e col piede rapina un gol su impacciata respinta del portiere. Sugli spalti guardano e non ci credono.

Tre a uno, fine primo tempo. Inizia il secondo, e il disegno tattico della partita diventa così chiaro che anche Biscardi lo capirebbe: undici Grigi a far muro nella propria metà campo, e tremila persone, sugli spalti, a contare i minuti. La Spal continua ad applicare schemi ordinatini, sembra uno con una pistola puntata alla schiena e quel che riesce a dire è: parliamone. Al quarto d'ora gli ultras ferraresi smettono di illudersi e iniziano col tradizionale "andate a lavorare". Il campo cede a poco a poco, il guardialinee di destra sguazza in una sua personale corsia di fango e sguazzando immagina fuorigioco con la fantasia di uno scrittore sudamericano. L'arbitro tira fuori cartellini gialli a go-go, ma lo fa con ordine e autorità, merita la citazione, si chiama Calabrese. Fischia la fine dopo due minuti di recupero. "Orso sbranali" gridava lo striscione della curva grigia. Fatto.

Una vita per il canto

Nella foto in bianco e nero vedi una ragazzina con lunghe trecce bionde e un costume da festa del Santo Patrono. Un accenno di inchino, le braccia aperte, il sorriso e gli occhi spediti al loggione: se fai silenzio, senti gli applausi. 3 febbraio 1955, Teatro Comunale di Modena, la ragazzina è Mirella Freni diciannovenne, l'istante è quello dei suoi primi applausi veri, la sera del debutto, in scena la *Carmen*, lei faceva Micaela. Quaranta anni fa.

A Modena sanno contare. E alla Freni ci sono affezionati, perché è da quelle parti che lei è nata: e anche se poi ha girato il mondo e ha cantato con tutti i grandi, ed è diventata La Freni, che sia di Modena non se l'è mai dimenticato nessuno, né lei né loro. Così hanno fatto una di quelle cose che fanno solo gli americani o gli emiliani: una roba da mito.

Quarant'anni dopo – il 6 febbraio invece del 3, ma non importa – la Freni è tornata su quello stesso palcoscenico, nella sua città, con la sua gente intorno, a cantare. Ha lasciato perdere Micaela, e ha scelto la *Fedora* di Giordano. E si è portata dietro il miglior conte Ipanof possibile, cioè Placido Domingo. Senza paura di farsi oscurare nella sera del trionfo, ma con la voglia, immagino, di santificare la festa con qualcosa di musicalmente memorabile.

Serate come quella sono da collezione: finiscono dritte negli annuari della commozione. E son quelle che poi ti ricordi, quando tutto il resto te lo sei dimenticato. Così io ricorderò per sempre che quando è entrata in scena, la Freni, tutta impellicciata e regale, con lo sguardo volitivo e tragico di una vera nobildonna russa, mi ricorderò sempre che un applauso alluvionale l'ha inchiodata lì, a metà strada, come una statua, di profilo, lei, le sue pellicce e anche la musica, inchiodato tutto, e a poco a poco, nel microonde di quell'affetto che veniva da lontano, si è sciolta la nobildonna russa, scongelata, e quel che vedevi era una ragazzina di Modena un po' cresciuta che se ne stava lì a godersi quel che la vita le stava regalando. E mi ricorderò che non ha girato lo sguardo verso il pubblico. E mi ricorderò che però la testa a poco a poco l'ha abbassata, e con lei lo sguardo. E mai dimenticherò lo scatto con cui l'ha rialzata, finito l'applauso, in quel microscopico e secco gesto cancellando tutto, e ridiventando all'istante una principessa russa che Modena non sapeva nemmeno dov'era.

Poi non riuscirò a dimenticare, naturalmente, lui. Placido. Sembrava un maestro di cerimonia. Straordinario, a cantare, ma straordinario anche nell'attenzione con cui a ogni passo cercava di ricordare a tutti che quella era una serata per la Freni. Impresa non facile in un'opera che alla primadonna regala il titolo e una bella morte, ma tutto il resto lo investe sul tenore. Compresa la sua pagina più famosa, che è cortissima, quasi un jingle, quell'*Amor ti vieta* che Caruso, la sera della prima assoluta, dovette bissare tre volte, con buona pace di ogni buon senso, ma il pubblico non ne voleva sapere di andare avanti, e lui giù a bissare, con Giordano sul podio che se la godeva. Non che sia una meraviglia, quella pagina, giusto una sferzata melodica a nervi scoperti, ma insomma, il suo effetto ce l'ha. E Domingo gliel'ha spremuto tutto, senza esagerare col pathos, ma anche senza risparmiare nulla. È venuto giù il teatro. Urla, battimani e piedi a far casino sul pavimento di legno del teatro. Un trionfo. E, naturalmente, tutti a chiedere il bis. Lui, s'è bevuto tutto guardando la Freni negli occhi, e tenendole una mano, e facendo rimbalzare in qualche modo tutto quello su di lei, la principessa russa di Modena. E il bis non l'ha fatto. No. Da gran signore.

Poi, alla fine, trenta minuti di applausi, ed erano quasi tutti per lei, davvero per lei, questa volta. Cuori sfracellati, in platea e là nei palchi, prima dal drammone di amore e morte, e poi da quella figura a suo modo semplice, che veniva in proscenio a guardare con occhi meravigliati un teatro ai suoi piedi. Fazzoletti e lacrime, com'è giusto. Lei che fa due passi avanti e poi si inginocchia, ma con semplicità, perfino con modestia. E Domingo che la accompagna in proscenio e poi se ne sgattaiola via, lasciandola lì, sola, a decollare su quell'apoteosi. Quando decide di dire qualcosa, lo dice con un accento modenese che è una delizia, e sceglie parole normali, semplicemente vere. "Finché Dio mi darà un po' di voce continuerò a cantare. E poi, vorrà dire che passerò dalla vostra parte, con voi." Mi ricordo una volta, a Livorno, che vedevo non so più che orrenda opera verista, e a un certo punto mi volto e chi vedo? la Simionato, proprio lei, come una spettatrice qualunque, in mezzo agli altri, con la borsetta sulle gambe e uno scialle sulle spalle. Dell'opera non ricordo neanche il titolo, ma lei, lì, non l'ho dimenticata. Chissà dove sarà, e fra quanti anni, l'opera che vedrò, dimenticandola, ma non dimenticando che a un certo punto, voltandomi ho visto una signora dalla faccia allegra, due file più in là, e, giuro, era la Freni.

Camerieri

Non mi ricordo quasi nulla di quel racconto. Ma mi ricordo che c'era una cosa geniale. Era un racconto di Chesterton, uno di quelli con Padre Brown (piccoli capolavori, detto per inciso). Il pretino risolveva non so che razza di ingarbugliato caso riconoscendo un passo. Un modo di camminare. Lo sentiva sulla sua testa: uno che andava avanti e indietro per il corridoio al piano di sopra. E non con un passo normale: con un passo che al pretino ricordava qualcosa, ma non sapeva più cosa. Ci stava a pensare per pagine. Poi gli veniva in mente. Non l'aveva visto, l'uomo del piano di sopra, ma adesso sapeva chi era. O almeno cosa faceva. Faceva il cameriere.

Come camminano i camerieri. Quando vanno avanti, con dieci piatti per le mani, e quando tornano, con le mani vuote e un'ordinazione in testa. Un po' sbilanciati all'indietro, all'andata, e un po' piegati in avanti, al ritorno. Passi veloci, all'andata, e un po' strascicati, al ritorno. I camerieri. Già solo come camminano è un poema. Pensa il resto. Un pianeta di cose e di storie. A me ha sempre affascinato. Figurati se non ci andavo a vedere un film che si intitola come loro. Proprio come loro. *Camerieri*.

Se sia un bel film non lo so. Ma per uno che da anni non riesce a farsi servire una pizza senza chiedersi chissà che storia c'ha, questo qui, vestito di bianco col papillon, sembra proprio un bel film. Perché di quel pianeta racconta storie credibili, belle, e non ordinarie. Solleva quel velo di giacche bianche e papillon e ti fa sbirciare dietro. E quel che vedi è proprio ciò che ti aspettavi di vedere: bellissime vite spregevoli.

Quel che ti colpisce di più è una verità elementare ma non scontata: sono tutti cattivi. Ognuno a modo suo, ma tutti sono cattivi. E lo sono in un modo che è geniale, perché non ha niente a che vedere coi cattivi dei film americani, che sono cattivi integrali, dei professionisti, delle merde a tempo pieno. No. Questi sono cattivi imperfetti. Sono dei cattivi falliti. Sono meschini ma con affetto, cinici ma con humor, vigliacchi ma con fierezza, bugiardi ma con malinconia. Un eterno compromesso. Sono camerieri, ma in trasparenza, quel che vedi è una categoria più generale: sono gli italiani. Più li guardavo andare avanti e indietro dalla cucina alla sala, portando avanti e indietro la stessa sconfitta ma con due facce diverse, più pensavo: guarda te, gli italiani. L'ultima volta che li avevo visti, con questa limpidezza e su uno schermo cinematografico, era stato in *Ladro di bambini*. Guarda caso anche lì la scena più bella era in un ristorante: e anche lì era una di quelle abbuffate familiari dove si festeggia qualcosa e si suda fuori tutta la propria ipocrisia, e tutta la propria disfatta. Evidentemente batte il cuore della nazione sotto la glassa sentimentale di quelle tavolate, benedetto dall'appiccicoso fascino del risotto alla marinara e scandito dalle patacche di sugo su vestiti misto nylon. Siamo lì più che altrove. Non so se ci sia da esserne fieri, ma dev'essere così.

Lì, tra risotti, nylon, antipasti, telefonini, bambini e Italia, volteggia, nel film, Paolo Villaggio. Fa il capocameriere. E bisogna vedere come lo fa. Secondo me la scena in cui, con sublime servilismo e mistica nobiltà, mesce ai festeggiati (disgustosi) un vino atroce spacciandolo per un raffinatissimo scaraffato, quella scena entra dritta dritta nella storia del cinema italiano. Davvero lui è un fenomeno. Finirà come con Totò. Quando non ci sarà più (e campi cent'anni) ne faremo un mito. E più puttanate avrà fatto, più ci sembreranno intelligenti. Se posso iniziare nell'operazione, annoto che, a parte come fa l'attore, lui è comunque un grande per quello che ha scritto. Prima o poi bisognerà iniziare a rileggere i suoi libri su Fantozzi come uno dei passaggi decisivi della narrativa italiana. Oh yes. In quelle pagine lui ha creato quasi dal nulla un incrocio di gerghi, di aree linguistiche e di iperboli retoriche che ha del formidabile. Con quell'aria di prosa di serie B, semplice semplice, cristallina e ovvia, quella era una lingua nuova. Per fare un microesempio: la parola tragico non è più la stessa da quando l'ha usata lui: già era una parola enorme, ma dal *tragico spigato siberiano* in poi ha dimostrato di saper dire ancora qualcos'altro. Lasciamo stare con quale forza quella sua lingua sia entrata nel parlare collettivo: quel che è sorprendente è ritrovarsela adottata integralmente o a schegge in libri e film che tutto vorrebbero essere tranne prodotti di serie B. Che lui lo sappia o no, se oggi ci sono dei modelli, per chi racconta storie, uno è lui. Mica il più alto e geniale. Questo no. Ma, in tutto e per tutto, un modello.

Un libro bellissimo l'ha scritto Osvaldo Soriano. Cioè, ne ha scritti due, libri bellissimi, ma adesso quello che ho in testa è uno, e si intitola *Un'ombra ben presto sarai* (in spagnolo suona che è una musica: *Una sombra ya pronto serás*). L'ha ristampato qualche mese fa Einaudi. Tredicimila lire. È un buon prezzo per quattro ore buone di strepitosa poesia.

Succede tutto in qualche sperduta piega della Pampa argentina, su e giù per strade stradoni stradine che non portano da nessuna parte, e paesi fantasma, e chilometri di erba e nulla. Un mondo altrove. Se lo fanno, avanti e indietro, i quattro o cinque protagonisti, tutti con una meta precisissima in testa, tutti inesorabilmente dispersi. Gente con la disfatta prestampata nel destino, ma anche con un ottimismo inossidabile, e una fantasia che non stacca mai, vietato alzare il piede dall'acceleratore, la vita è ovunque, la morte non sai cos'è. Gente così. Ne fanno di tutti i colori: ma una, in particolare una, mi è rimasta in testa. Perché è bellissima.

Sono talmente al verde, tutti quanti, sempre, che quando si mettono a giocare a carte non hanno una lira da puntare. Altri, magari, lascerebbero perdere. Ma quelli, l'ho detto, non si arrendono facilmente alla miseria. E allora giocano, a non so che gioco argentino, non si capisce, ma dev'essere una specie di poker, insomma giocano: e invece che denaro, si giocano i ricordi. I ricordi. Uno di fronte all'altro con le carte in mano, la sigaretta tra le labbra. Studiano le carte, poi uno punta. Punta alto, magari ha un full, roba del genere:

"Una volta mi sono innamorato in maniera disperata."

"Si sarebbe ucciso per lei?"

"Mi vede, sono ancora qui."

"Allora deve tirare fuori qualcosa di meglio."

Lanciano, rilanciano, vedono a colpi di ricordi. Chi perde, perde il ricordo. A furia di giocare, e di perdere, fatalmente finiscono per rimanere a corto di ricordi. Se ne tengono stretti un paio, meravigliosi, per la volta che gli capiterà un poker servito, e nell'attesa raschiano il fondo della memoria:

"Mi rimane, se le sembra il caso, una ragazza di Chabut. Non era bella e non è venuta a letto, non si illuda".

"È già qualcosa."

E giù a giocare. Soriano dice che all'inizio si giocavano le illusioni. Ma le hanno finite in fretta. Allora sono passati ai ricordi.

A me questa storia è tornata in mente quando ho letto dei 18 milioni di italiani inchiodati davanti al televisore, a bersi Sanremo. Non che l'Auditel abbia a che fare con la realtà, ma è una di quelle favole che si è deciso di credere vere: tipo l'immacolata concezione, o il fatto che latte e rum faccia bene alla gola, o che le macchine tedesche non si spaccano mai. Mica che ci sia qualcosa di vero, ma facilita un po' le cose crederci, e così ci si crede. 18 milioni di italiani, quella sera, non avevano niente di meglio da fare che guardare Sanremo. A me, questo, colpisce. Colpisce questa collettiva, enorme, improvvisa incapacità di desiderare, di immaginarsi, di inventare. Metà del paese soffre di anemia di desiderio. È la stessa cosa che mi viene in mente quando vedo la sinistra eccitarsi per Prodi, i bergamaschi dare di matto per una microutopia come il federalismo, e una fettona di Italia depositare tutta la speranza di cui è capace nella desolante prospettiva di un nuovo miracolo italiano. Tutte cose rispettabili. Ma brodini. I desideri, come me li ricordo io, non erano un'altra cosa? Non erano qualcosa di irresistibile? Cosa diavolo è successo perché questo paese smarrisse la capacità e la voglia di desiderare desideri come si deve?

Adesso so cos'è successo. Mi vedo la scena. L'Italia seduta al tavolo, con le carte in mano e la sigaretta in bocca. Silenzio intorno, luci basse. Soldi non ce n'è. Si gioca puntando illusioni, speranze, desideri. Roba forte, l'Italia sgrana le carte tra le dita. Cambia due carte. Posa la sigaretta. Scopre le due carte lentamente, facendole scivolare sotto le altre, tra le dita. Full. Full di re. Cerca di non muovere un muscolo. Fa passare qualche istante. Poi dice piano ma con gran fermezza: punto tutto, illusioni, speranze e desideri. Non so chi c'era dall'altra parte del tavolo. Ma so che disse: vedo. E tirò giù le carte. Full. D'assi, però.

Poi, la sera, l'Italia se n'è tornata a casa. E lo si può anche capire: non le rimaneva molto altro da fare: accese la tivù.

"Cosa c'è stasera?"
"Sanremo."
"È già qualcosa."

Milano-Sanremo

Sono andato a vedere passare un mito in un posto
che da noi, a modo suo, è un mito. Mi spiego.

Centoquaranta chilometri dopo la partenza e cento-
cinquantaquattro prima dell'arrivo, la Milano-Sanremo
passa da un posto che si chiama Masone. Dalle mie parti è un nome famoso. Quando proprio ti va tutto storto,
ma storto davvero, da noi si dice: poteva andarmi peggio, potevo essere nato a Masone. È una cosa anche af-
fettuosa, bisogna credermi, ma quel che si dice è quello.
Il fatto è che Masone sta subito prima del Turchino, tra
Piemonte e Liguria, dove finisce la campagna e non è
ancora iniziato il mare. Tutte le nebbie e le nubi d'Italia
arrivano lì, si stoppano contro la montagna e, incapaci
di un salvifico scatto di reni che le porterebbe al mare,
lì si fermano, e lì si lasciano morire: esattamente sopra,
e dentro, Masone. Tre chilometri e una galleria più in là
è già sole, e mare, e donne, e felicità. Lì, è purgatorio.
Una fabbrica abbandonata, un po' di case appese sulle
pendici del monte, una chiesa triste: non fa nemmeno
finta, Masone, di essere un posto felice. In realtà avrebbe potuto vivere con grande dignità la propria jella me-
teorologica, tranquillo nella sua valletta solitaria, senza
che nessuno ne sapesse nulla; ma neanche quello gli
hanno concesso: ci han fatto passare l'autostrada, a
Masone, quattro corsie dal mare e verso il mare, piene
di gente che va e viene, ci hanno messo anche l'uscita
col casello così è tutto un carosello di asfalto che gira, e
sopra le nuvole, e tu che attacchi i tergicristallo e pensi
poteva andarmi peggio, potevo nascere a Masone. Poi
magari lì stanno benissimo: ma l'idea che ci si è fatti,

noialtri, è quella: un posto di una mestizia assurda. Mi è sembrato il luogo ideale per fare un'altra cosa che in quanto ad assurdità non scherza: sono andato a vedere passare la Milano-Sanremo.

Andare a vedere il ciclismo è una cosa che se ci pensi non ci credi. Stai sul bordo di una strada, aspetti aspetti, poi a un certo punto arrivano, come una ventata colorata, i ciclisti, e ti strisciano negli occhi. Se proprio non sei sullo Stelvio, è una faccenda di trenta, quaranta secondi. Gruppo compatto. Hai tempo di dire arrivano che già li vedi di schiena. Va be' che è gratis, ma ammetterete che è uno spettacolo paradossale. Eppure: strade piene, quando passano quelli, paesi interi usciti da casa a vedere, e plaid sull'erba, e thermos, radioline, giacche a vento, e la rosea aperta alla pagina giusta per leggere i numeri dei ciclisti e sapere chi erano. Una festa. Per l'occasione ho scelto una curva controcurva un po' in salita, tanto per cuccarli dove proprio non sfrecciavano ai cinquanta all'ora. Cielo grigio, naturalmente, e un'umidità dell'ostia. Intorno a me, nell'attesa, cicloturisti a mazzi. Vanno su e già pedalando con grande serietà, davanti e dietro alla corsa vera: sono come i gabbiani che volano intorno ai pescherecci che tornano alla sera. Rispettabili signori anche di una certa età fasciati da clamorosi fuseaux neri, scarpette da astronauta, casco comico in testa. A furia di vederli avanti e indietro ho capito in cosa consisteva il gioco: tutti gli altri giorni possono pedalare: ma solo quel giorno lì, in quella strada lì, a quell'ora lì, possono pedalare tra due ali di folla. Non dev'essere male. Il prossimo anno affitto una bici e provo. Quando ti va bene trovi perfino quello che dal bordo della strada ti grida Vai Bartali! Sono soddisfazioni.

Poi, quando incomincia ad infittirsi il tran tran di polizia e sponsor, i ciclogabbiani si posano sui guard-rail, e un silenzio irreale cala sull'anomalo parterre. Liturgica preparazione a quaranta secondi di emozione. La gente si spacca ideologicamente in due: quelli che guarderanno e quelli che scatteranno la foto: impensabile fare tutt'e due le cose, in quella manciata di secondi. Mi schiero tacitamente con quelli che decidono di guardare. E guardo. Guardo. Guardo. Guardo. Guardo.

Guardo. Finito. Ce n'è due rimasti indietro. È una specie di piccolo bis. Guardo. Spariscono dietro la curva. Finito davvero.

Dopo, il gioco è dire chi hai visto. Quello che ha visto Bugno, quello che ha visto Cipollini, quello che ha visto Gimondi (ma va'). Io ho visto Chiappucci. Giuro. In piedi sui pedali, come un felino in agguato, era mezzo girato all'indietro e gettava sguardi come artigli, sembrava una belva in gabbia, lì, in mezzo al plotone: el diablo, garantito che se li divora tutti, sul Poggio.

Poi magari non era proprio Chiappucci, ma chissenefrega, per me lo era e lo sarà sempre.

Benni legge Gadda

Dice: vai a Milano che ci sono le sfilate, sai che Barnum. Lo so. Quello è un bel circo. Gli stilisti (i veri intellettuali del postmoderno, mi assicurano), le top mo-
del (adesso scrivono libri, giusto), la bella società (non
pervenuto): da riempirsi gli occhi e la testa, è sicuro.
Quasi quasi ci andavo davvero. Ero già lì lì per andarci.
Praticamente ero già partito. Non ci sono mai arrivato.
Il fatto è che ti vedi allagare i giornali, a poco a poco,
con quelle facce e quelle cronache mondane, come reportage da Marte, te le vedi arrivare fino alle prime pagine, e poi nei settimanali, e alla tivù, sei circondato, e
più leggi più ti sembra tutto assurdo, e ti chiedi perché,
e cerchi di capire ma non capisci, irresistibile monta l'i-
stinto a difendersi, a dire che tu non c'entri, tu vivi nella
vita vera, su Marte non hai agganci, sei un miserabile
terrestre, lasciatemi giù, io non c'entro, non sono all'altezza: e tutto quello mi sembra una boiata pazzesca.
Non è che poi fai un bel Barnum, partendo così. Bisogna amare almeno un po', le cose, per raccontarle. Così
a Milano non ci sono andato: e per reazione sono finito
a Modena.

A Modena fanno una cosa che sa di bei tempi andati, tipo la patata schiacciata col burro: a Modena leggono a voce alta. Voglio dire che fanno una stagione di serate, e quel che succede in quelle serate è che arriva
uno, sale sul palco, si siede al tavolo, accende il microfono e legge. Pagine varie, che so, Boccaccio, Landolfi,
Delfini, Ariosto. La gente entra gratis, si siede, e ascolta.
Sono anche piuttosto severi, nel fare le cose: si legge e
basta, non si sta tanto a commentare, a fare lo show, a
dire la propria. Leggono e basta. Poi tutti a casa.

Un lunedì sera, sul palco, c'era Stefano Benni. Con quella sua aria un po' lunare, capelli impazziti, occhi da buono e sorriso da Bugs Bunny. Si è seduto un po' di sbieco, s'è avvicinato il microfono alla bocca, e ha aperto tre libri: Landolfi, Volponi e Gadda. Nel teatrino del Collegio San Carlo c'era la gente in piedi, che vuol dire due trecento persone, e, giuro, nessuno fiatava. Che fa anche un po' impressione, perché mica ci sei abituato a quel genere di spettacolo lì, microspettacolo, a ben pensarci, giusto un gradino sopra il nulla, eppure c'era in mezzo una specie di domestica emozione che ti eri dimenticato, quella che ti veniva, sottile, quando uno apriva un libro e ti leggeva. Come mille patate schiacciate in un colpo solo.

Che poi, sono sicuro, se a leggere è uno qualunque, rischia di diventare una palla colossale. Ma Benni non è uno qualunque. Come lettore, dico, non è uno qualunque. Mette su una cosa che è musica, e anche un po' dipinto, e qualche volta cinema. Non è che reciti, questo no, questo sarebbe orrendo: ma non legge, semplicemente: riscrive ad alta voce. Non pronuncia delle frasi, le fa. La lettura come artigianato. Un lavoro di cesello.

Il raccontino di Landolfi era un oggettino niente male, le pagine di Volponi una bella filippica sorridente: ma quello che non dimenticherò è Gadda. Era annunciato, e io, sotto sotto, speravo in qualcosa della *Cognizione del dolore*. Invece Benni ha aperto *L'Adalgisa* e ha staccato due frammenti micidiali, due ritrattini della bella società milanese, due vere, perfette carognate di classe: i milanesi che vanno a concerto, i milanesi che vanno al ristorante. Roba di prima della guerra: ma continua a far male uguale. Stampati lì per sempre, i bischeracci, con una precisione da entomologo che spillona coleotteri da collezione. Aveva quella lingua tutta sua, l'ingegnere, affilata e tentacolare, si muoveva in ogni direzione come un mostro da film dell'orrore, ma sempre era una danza, mai un'isterica violenza, era una danza feroce e lieve: ballando ballando stritolava un mondo che poi era il suo, spremendogli via l'anima, e lasciandola vagare nell'aria come una zaffata di odor di cavolo, sfuggita alla cucina, e inopinatamente sgusciata nel salotto buono. Una vera carognata, se capite cosa voglio dire.

Naturalmente, per godersela, bisogna saper ballare. Lì è tutto un tempo, controtempo, piroetta, salto, doppio salto. Se vai per quei libri camminando, ti annoi. Se corri, non capisci più niente. Non c'è santo, devi ballare. Ho visto Benni ballare, musica e coreografie di Carlo Emilio Gadda, uno spettacolo memorabile. Tutto con la voce, giusto le mani, ogni tanto, a disegnare qualcosa in aria. Ma ballava. E noi trecento, lì davanti, eravamo fermi sulla sedia, ma dentro ballavamo eccome, anche noi, in quella specie di sabba domestico, sghignazzando di quei bischeroni meneghini e dei loro ossobuchi di classe, divenuti in quell'istante icona riassuntiva di tutta la bischeraggine del pianeta, e vittime sacrificali del nostro non poterne più.

Bis

Va be' che quelli della musica classica sono gente sempre un po' strana, ma certo che gli fanno dischi da non crederci. Tempo fa ne circolava uno con non so più quante esecuzioni della *Pira* (*Trovatore* di Verdi, il pezzo col *do* di petto alla fine), una in fila all'altra, per un'ora, roba da uscirci pazzi. Adesso è uscito un disco fatto solo di bis. Si sono messi lì, quelli della Radio Svizzera, e hanno tagliuzzato via da bobine di concerto lunghe così quelle frattaglie finali, di solito destinate al macero. Le hanno messe in fila e alla fine ne sono venuti fuori 71 minuti e 22 secondi di schiuma. Nel senso che il bis sta al concerto come la schiuma al cappuccino. Un disco così è come andare al bar e chiedere schiuma senza cappuccino. Va detto che gli svizzeri non sono i primi ad applicarsi a questo singolare esercizio. Qualche anno fa c'aveva provato una casa discografica che si chiamava Claque. Lì era anche più bello: erano i bis di Rubinstein, Richter, Benedetti Michelangeli, Backhaus e Horowitz. Si sentiva tutto, anche le grida, gli applausi, i boati, e a un certo punto si sentiva la voce di Rubinstein, proprio la sua voce, che annunciava il bis, una cosa che fanno in pochissimi, di solito suonano e basta e tu passi la serata a chiederti cosa diavolo era, ma lui, Rubinstein, era un signore, era una sorta di maggiordomo di lusso, e aveva quella compiacenza, te lo diceva cosa stava suonando, e lì lo si sente proprio, mentre lo dice: "*Scherzo* in si bemolle del Chopin", proprio così, "del Chopin", era a Torino, quasi trent'anni fa. Del Chopin.

Si può sempre migliorare. Assurdo per assurdo, feticcio per feticcio, avrei un consiglio. C'è un racconto di

Heinrich Böll in cui un tecnico della radio si mette a collezionare i pezzi di nastro che taglia e scarta montando le interviste a intellettuali famosi. Quel che taglia sono i silenzi, le pause di esitazione, tra un pezzo di frase e un altro: quel lavoro di cucito per cui, con un paio d'ore di dedizione, anche Marco Giusti alla radio può fare la figura di un fine dicitore. Be', quello incomincia a collezionarli. E a poco a poco mette da parte, con meticoloso ordine, questi pezzetti di nulla: e li etichetta: *Silenzio di Elias Canetti* (dico per dire), *Silenzio di Italo Calvino*, e così via. Una collezione memorabile. Nella prassi concertistica c'è un istante che non è un istante qualunque, anche se è silenzio assoluto: quando, all'inizio, il pubblico ammutolisce e l'interprete sta per attaccare dura un attimo, alle volte, ma ci sono concerti in cui dura anche secondi. Se c'è un silenzio pieno pieno di cose sensibilissime, quello lo è. Il consiglio lo do gratis: montatene un po' e fatene un disco. Io 30.000 lire le pagherei per sentire i due secondi di silenzio che sicuramente Glenn Gould avrà fatto prima di attaccare le *Variazioni Goldberg*. E come ha taciuto la Callas, prima di cantare l'ultimo bis del suo ultimo concerto pubblico. E il silenzio dei Berliner, subito prima di suonare, per l'ultima volta, con Karajan. Io le pagherei.

Comunque, tornando ai bis. Io quel disco me lo sarei comprato, se non me l'avessero cortesemente spedito. Perché per i bis ho un debole. Mi piace talmente quell'aria che c'è quando inizia il rito del bis, e tutti si stravaccano un po' sulla poltrona, e il musicista sembra in maniche di camicia anche se non lo è, mi piace talmente che a furia di godermela ho finito per elaborare un sogno. Che anche agli uomini normali fosse data una possibilità del genere. Voglio dire, quando è il momento e stacchiamo, come di dovere, sarebbe bello che i parenti al capezzale incominciassero ad applaudire e chiedere a gran voce il bis, e sarebbe bellissimo se in effetti fosse data facoltà, al morto, di risvegliarsi un attimo, e concederlo, il bis, una cosa piccola, da niente, una smorfia per cui andava famoso in famiglia, o una delle sue frasi celebri, o un giochetto di bravura con le mani, cose così, piccoli bis: e poi applausi, e lui che schiatta per sempre, questa volta per davvero. Sarebbe bello. Finisce che ci penso sempre, lì, al concerto, mentre sto a sentire il bis. E una volta che c'era Lazar Berman e non la finiva più di bissare (alla fine ne fece nove, di bis), insomma ero lì e non c'era fretta, così mi è venuto da pensare a quale bis concederò io, quando sarà il momento. Sarà stupido, ma mentre ascoltavo non so più quale sequenza di Liszt sempre più acrobatica, ho pensato a tutte le possibilità possibili e alla fine ho deciso. Non arriverò impreparato, a quel momento. So cosa farò.

Credo che alzerò un po' la testa e dirò lentamente: pizza pazza a pezzi nel pozzo che puzza. E poi via, per sempre.

Indice dei nomi, dei luoghi, delle opere e delle cose notevoli

Indice